REVELACIONES

Mis amargas experiencias con Gloria Trevi,
Sergio Andrade y Mary Boquitas

KARINA YAPOR

REVELACIONES

Mis amargas experiencias con Gloria Trevi,
Sergio Andrade y Mary Boquitas

grijalbo

REVELACIONES
Mis amargas experiencias con Gloria Trevi, Sergio Andrade y Mary Boquitas

© 2001, Karina Alejandra Yapor Gómez

Fotografía de la portada: Víctor Bernal

D. R. © 2001 por EDITORIAL GRIJALBO, S. A. de C. V.
    (Grijalbo Mondadori)
    Av. Homero núm. 544,
    Col. Chapultepec Morales, C. P. 11570
    Miguel Hidalgo. México, D. F.

www.grijalbo.com.mx

ISBN 970-05-1293-2

IMPRESO EN MÉXICO

Índice

Dedicatoria

Dedico este libro a mi hijo Francisco Ariel.

Mi niño hermoso:

Sé que algún día leerás lo que aquí escribí y debes saber por qué te lo dedico. Desde que me enteré de que estabas dentro de mí comencé a amarte más que a mi propia vida. Sabía que eras lo más hermoso que me hubiera sucedido, un regalo de Dios.

Yo tenía sólo catorce años cuando supe que vendrías y tú cambiaste mi vida de golpe, pero para bien. Ocurrieron situaciones muy duras que, de no existir tú, no habría podido soportar... por algo Dios hace las cosas.

Por ti aprendí a ser más fuerte, a luchar por sobrevivir en las adversidades; fuiste mi máxima alegría. Cuando nos separaron, la esperanza de encontrarte fue el soporte para mantenerme con vida.

Jesucristo tuvo infinita misericordia con nosotros. Eres un niño amadísimo por muchas personas, por tu familia y, sobre todo, por mí. Eres aun más privilegiado pues tengo la certeza de que Dios te mandó a este mundo con una misión muy especial: liberar física y espiritualmente a mucha gente, incluida yo.

Tu mamá Kari

Agradecimientos

Antes que a nadie, agradezco a Dios por todas las bendiciones que nos ha dado a mí y a mi familia y por estar conmigo en todo momento.

A mis padres, por su fuerza y su valentía para rescatarme; por su gran comprensión y amor, con los cuales me ayudan día con día a reintegrarme a la sociedad y la comunidad.

A mi hermano; a mi abuelita Eloísa, por su gran apoyo; a mis tíos; a mi abuelita Bertha y a toda mi familia.

A Rodrigo Aguilera, creador de mi página de Internet, por su dedicación.

A mi gran amiga y psicóloga, Alma Gómez de Hernández, y a su apreciada familia.

A mi abogado, Héctor Hugo Perea Arballo, por respaldarme en todo momento, por su gran ayuda y su paciencia en los momentos difíciles.

A Gian Carlo Corte y Ariel Rosales, de Editorial Grijalbo, por su apoyo.

A Gilda Moreno, por su gran ayuda.

A la gente que ha orado por mí y a todos los que de alguna u otra manera han ayudado en este proceso tan complicado, no sólo en el aspecto legal sino en el personal.

1. Mi infancia

Mi querida lectora, mi querido lector:

Desde este momento te considero mi mejor amiga, mi mejor amigo. A ti te contaré las cosas más importantes que me han ocurrido: mis anhelos, mis penas y angustias, mis alegrías. Serás mi confidente.

Tenía siete años cuando, en un domingo especial, la vi por vez primera. Estaba jugando con mis Barbies mientras mis papás veían el programa *Siempre en domingo* en su recámara; de pronto, oí cantar a alguien. Nunca había visto a esa cantante, pero después de escuchar "Doctor Psiquiatra", quedé fascinada por lo que dice y cómo lo dice. Su nombre: Gloria Trevi. Creí que podría imitarla muy fácilmente, hasta me puse a bailar. Le pedí a mi mamá que me comprara el casete y me cumplió mi deseo.

Gloria Trevi (Gloria de los Ángeles Treviño Ruiz) nace en Monterrey el 15 de febrero de 1970.
1994 Cronología en *Marque Sur*

Gloria Trevi
inicia su
carrera
cuando, en
dos meses,
aprende
teclado e
ingresa, por
invitación
de Sergio
Gustavo
Andrade, al
grupo
"Boquitas
Pintadas".
Ese año
compone
"Amor
cavernícola"
y "Se hace
de noche".
1994
Cronología
en *Marque
Sur*

Cantaba increíble y me conmovieron sus palabras: que tuvo que pedir limosna en los camiones y en la calle; "pobre", pensé. En ese momento decidí hablar con mi mejor amiga, Berenice, y preguntarle si la vio.

Tiempo después me enteré de que en unas semanas más Gloria Trevi daría un concierto en Chihuahua. Emocionada hasta los huesos, me preguntaba si podría convencer a mi mamá de que me llevara. Todas mis amigas iban a ir, y no quería perdérmelo por nada del mundo.

El día que conocí a Gloria fue sencillamente ¡maravilloso! Su concierto en el gimnasio Rodrigo M. Quevedo estuvo a todo dar y tomé la firme decisión de comprar el disco que presentó: *¿Qué hago aquí?,* que creo que era su primero. Me encantó su manera de cantar, de bailar y su forma de ser; es muy divertida, tierna y bonita. "De ahora en adelante —me dije— seré su fan."

Ese día pude abrazarla: entre toda la gente que había logré estar bien cerca de ella. Casi no lo podía creer.

Nunca lo olvidaré. Gloria pidió que subieran varios niños a cantar con ella "¿Qué hago aquí?"; mi mamá no quería que yo fuera porque había mucha gente y podían lastimarme. Le supliqué y eran tantas mi emoción y desesperación que hasta las coristas de Gloria (me parece que eran Aline y Mary) lo notaron, porque me hicieron señas para que me acercara; unos señores se dieron cuenta de que me invitaban al escenario y le preguntaron a mi mamá que si me ayudaban a subir. Ni siquiera esperé a que ella respondiera, me lancé al templete y de pronto Gloria estaba ahí, frente a mí. Se veía tan grande, tan bonita. Corrí y la abracé. Todos los niños que subieron estaban paraditos cantando; yo no: me agarré de su pierna y así estuve durante toda la canción. Fue lo máximo.

¡Qué susto! Casi me desmayo. El colmo es que en esa ocasión ni siquiera conseguí que me autografiara su disco. Como había mucha gente, me sofoqué. No quería salirme sin el autógrafo, pero me puse tan mal que me sacaron casi desvanecida. Más tarde, para que no estuviera triste, mi mamá me compró una revista donde aparece Gloria.

A los siete años —rememora la señora Teresa de Jesús Gómez, madre de Karina—, mi hija era una estudiosa alumna de primaria que disfrutaba haciendo sus tareas escolares y practicando básquetbol, el deporte favorito de nuestra familia. Le gustaba sacar canciones de oído en el piano, se iniciaba en el modelaje —incluso en una ocasión imitó ahí a Gloria Trevi— y cantaba en los coros de su escuela. Sus muñecas preferidas eran las Barbies que, por cierto, vivían en una casita de tres pisos con elevador. Pasaba horas jugando con ellas.

Ni Miguel ni yo éramos indiferentes a la admiración de nuestra hija por Gloria Trevi. Observábamos cómo, al llegar de las clases, se dirigía con paso apurado a su recámara; tomaba mis vestidos, medias y collares para transformarse en la famosa artista. Yo no veía nada de malo en

Sergio Andrade escogió a Gloria hace dieciséis años por su gran parecido con Lucerito, pues estaba obsesionado con ella. Trevi participó en un concurso para escoger a la doble de "Chispita" cuando tenía trece años y ganó. 18 de enero de 2000 *TVnotas*

15

Con sus ahorros, Gloria graba su primer disco, *Qué hago aquí*, bajo la producción de Andrade; pronto alcanza los primeros lugares de popularidad con la canción "Doctor Psiquiatra". Crea controversia por su estilo, pero logra tres discos de oro por ventas. 1994 Cronología en *Marque Sur*

aquellos inocentes juegos infantiles; de hecho, en alguna ocasión le tomé una fotografía vestida como la famosa cantante. Incluso sus amigas le apodaban "Karina Trevi".

Luego vinieron los conciertos de Gloria, a los que siempre la acompañé. "¡Mamá, mamá, viene Gloria Trevi a Chihuahua! ¡Llévame a verla, por favor!", me imploraba.

Eran tan grandes su entusiasmo y su cariño por ella que terminó contagiándome; llegué a sentir un afecto especial por Gloria, luego de enterarme de la atormentada relación que sostenía con su madre. Mi esposo, en cambio, no prestaba mucha atención a todo aquello, por considerarlo "cosas de niños".

Estaba casi por cumplir nueve años cuando, en una visita de Gloria Trevi a Chihuahua, me vestí como ella y fui al hotel San Francisco con mi hermano, mis primos, mi tía y mi mamá, que estaban tan emocionados como yo por la posibilidad de verla y de poder hablarle, aunque fuera por un momento. La esperé varias horas y me topé con Ivonne e Ivette y con Ariel Manzano, con quienes me tomé una foto. No pude ver a Gloria en esa ocasión, pero el señor Nicolás Mateos, su jefe de seguridad, nos dijo a qué hora salía su vuelo al día siguiente y que nos sugería ir a verla al hotel antes de que partiera con rumbo al aeropuerto.

Al día siguiente lo logré, ¡por fin hablé con ella! Estaba nerviosísima.

No lo podía creer: su jefe de seguridad nos dejó llegar a la puerta de su habitación. Me sentía muy importante. Nos abrió una muchacha que se parecía a Aline, pero no estoy segura de que haya sido

16

ella. Luego llegó Gloria, nos tomamos varias fotografías juntas y me dijo que se las mandara a México para que las publicara en su revista *Las increíbles, insólitas e inverosímiles aventuras de Gloria Trevi*. El señor Mateos me dio la dirección: José María Iglesias número 19, Colonia Tabacalera, Código Postal 06030, para que no dejara de enviarlas. Le contesté que sí, que desde luego que lo haría. ¡Para mí era una maravilla poder salir en su revista!

Como buena fan, iba a todos sus conciertos y tenía una colección de fotografías suyas.

Mi mamá me compró el número 13 de la revista de Gloria y ya venían publicadas las fotos que envié. Entonces pensé que la próxima vez que se presentara en Chihuahua le regalaría un perrito de peluche o unos chocolates para agradecérselo. Me sentía muy especial por aparecer en una revista, sobre todo junto a mi cantante favorita.

En 1989, Gloria se enfrascó en una discusión pública con su abuela, quien la criticó por su forma de actuar. 26 de mayo de 2000 Cronología en *Reforma* (deperiodist@s)

En el juzgado, al iniciar la ampliación de su declaración el 26 de junio de 2000, Karina detalló la admiración que en su infancia tenía hacia Gloria Trevi: "Asistía a las presentaciones que daba en la ciudad; compraba sus discos, e incluso pertenecí al club de fans Zapatos Viejos, en la ciudad de Chihuahua. También iba a buscarla a los hoteles en los que se hospedaba para verla".

Cuando les pedí permiso a mis papás para entrar al club de fans de Gloria, Zapatos Viejos, me dieron su consentimiento como cualquier otro deseo. Con esto me convertí en la niña más feliz del mundo, a

En 1990 Gloria inicia su revista de caricaturas *Las increíbles, insólitas e inverosímiles aventuras de Gloria Trevi.* **1994** *www.agarrate-alavida.8k.com*

pesar de que a veces mi mamá se enojaba un poco conmigo porque agarraba su ropa y sus medias para vestirme como Gloria.

Poco después mi ídolo se presentó en un palenque. Con enorme entusiasmo fui a buscarla a su hotel y como no la encontré le dejé a su jefe de seguridad un pastel de fresas y piña, relleno de crema con durazno. Era de la pastelería *Grand Mere*, que pertenece a mi abuelita paterna. Se lo dejé con todo mi cariño, esperando que lo disfrutara y prometí que iría al hotel de nuevo al día siguiente.

En efecto, al presentarme en el hotel Palacio del Sol pude ver a Gloria, quien estaba muy triste porque en el palenque alguien le quiso tocar una pompi y ella le dio una bofetada. Pero, como era hijo de un empresario, cancelaron la presentación que tenía para el día siguiente. Yo, desde luego, la consolé y ella comentó que sí regresaría a Chihuahua porque había gente linda como nosotros que de verdad la queríamos.

A pesar de su molestia, me dijo que estuviera pendiente porque en *Siempre en domingo* informarían de la dirección y las bases para tener la oportunidad de participar en su película *Zapatos viejos*, que pronto se empezaría a filmar; agregó que cuando eso pasara enviara mis fotos. Me sentí un poco mal porque sólo me lo dijo a mí, a pesar de que Bere iba conmigo.

Por cierto, le pregunté si le gustó el pastel y no sabía ni de qué le estaba hablando. Al parecer se lo comieron los músicos; me pareció una lástima que ni siquiera lo hubiera probado, se lo había llevado con tanta ilusión.

Recuerdo que tenía un póster de Gloria en el clóset junto a mi cama y cuando me acostaba a dormir, viendo su imagen, le pedía a Dios que algún día me concediera convivir más con ella, pues la quería muchísimo y me quedaba muy triste cuando se presentaba en Chihuahua para enseguida partir de nuevo.

La siguiente visita de Gloria a mi ciudad natal fue con el propósito de presentarse en el palenque de Expogan. En esa época yo sentía que cada día la admiraba más porque era muy valiente, a pesar de todas las críticas que había en su contra y de sus problemas familiares. Me atraía sobremanera su idea de que imperara la paz en el mundo, que se acabaran las guerras, algo de lo que hablaba en una preciosa canción: "Hoy no voy a gritar". Yo compartía con ella la esperanza de que las guerras y la violencia no existieran.

Muchas de sus canciones me conmovían y me hacían llorar; por ejemplo, "Sobredosis", en la que narraba la historia de un muchacho que murió por abusar de las drogas. Me parecía —y sigue pareciéndomelo— una situación trágica y terrible. Para mí Gloria era, sin lugar a dudas, un excelente ser humano.

En 1991 Gloria graba su disco *Tu ángel de la guarda*, el cual incluye la canción "Pelo Suelto". Con él gana ocho discos de oro y tres de platino, uno de éstos en Chile. En agosto hace una gira por Puerto Rico, Venezuela, Colombia y Argentina. 1994 Cronología en *Marque Sur*

Mi mamá me prometió que iría conmigo al aeropuerto para recibirla. Me proponía lograr que se sintiera muy apoyada, pues era la primera vez que venía desde el incidente de la pompi. Ansiaba poder acercarme a mi cantante favorita y, por qué no, decirle que me encantaría ser como ella: artista; aunque también me hubiera gustado ser astronauta y ser lanzada al espacio.

El 8 de octubre de 1994 representó para mí un día inolvidable, asombroso y totalmente maravilloso. A partir de ese momento, mi vida sería diferente... sólo que no sabía en qué manera.

Fui al aeropuerto con mi mamá para recibir a Gloria. Al llegar comenzamos a buscarla por todas partes; de pronto vi una puerta entreabierta, me asomé y ¡sorpresa!, ahí estaba ella con unos reporteros. Sin pedir permiso ni nada, tomé de la mano a mi mamá y la jalé hacia adentro. Un integrante del equipo de seguridad trató de sacarnos pero Gloria, al vernos, le indicó que nos dejara pasar. Era una habitación que parecía un privado y en ella estaban también Mary, Marlene, Gabriela y Katia.

Emocionada, le pregunté si se acordaba de mí. "Pero qué grandota, has crecido mucho, hasta estás más alta que yo", fueron sus palabras, mientras yo, muy nerviosa, no dejaba de pensar en cómo decirle que me encantaría formar parte de su grupo.

Le entregué un perrito de peluche que le había comprado y, por fin, armándome de valor, le platiqué sobre mis inquietudes artísticas y mis estudios de modelaje y jazz. Ella se mostró interesada; le pidió a María Raquenel Portillo que anotara mis datos: teléfono, edad, talla, estatura, y me dijo que más tarde me llamarían para que fuera a su hotel.

No podía creerlo: ¡Gloria Trevi estuvo hablando conmigo y ofreció que me llamaría! Sólo de imaginar estar cerca de ella o llegar a ser como ella, con lo mucho que la quiero, se me enchinaba la piel.

La verdad no pensé que me fueran a llamar, era casi imposible. Pero ya de noche, Mary se comunicó a mi casa. Mi papá atendió la llamada porque nosotras estábamos de compras. Ella le dijo que fuéramos al hotel Palacio del Sol y que llevara unas fotos recientes de cara y de cuerpo entero.

Por suerte mi papá no protestó; tal vez pensó que era como una de las tantas veces que habíamos ido a buscar a Gloria. Mi hermano se apuntó para ir con nosotras.

Cuando llegamos al hotel buscamos a Mary y junto con ella subimos a la habitación, donde se encontraban Gabriela, Marlene, Katia y Gloria.

Gloria le dijo a mi mamá que se llevaría las fotografías a la Ciudad de México para hablar con una persona de la oficina y ver la posibilidad de realizarme una audición. Le explicó un montón de cosas en caso de que me aceptaran. Yo sentía un nudo en la panza de la emoción. "Estudiar con Gloria Trevi es lo máximo que me puede pasar", pensé.

Con el álbum titulado *Me siento tan sola*, grabado en 1992, que incluye la canción "Zapatos viejos", Gloria logra su internacionalización. 1994 Cronología en *Marque Sur*

Eso sí, estaba muy consciente de que debía prepararme mucho para la audición.

¡En pocas palabras, fue un día sensacional!

En el juzgado, Karina explicó ante las autoridades por qué fue invitada a integrarse al grupo de la Trevi: "Se le dijo (a mi mamá) que yo estaría tres meses de prueba; que en caso de ser seleccionada empezaría a trabajar con un sueldo de veinte mil pesos durante los primeros meses, los cuales serían entregados a mis padres por ser yo menor de edad y que posteriormente ese sueldo se incrementaría. Incluso existía la posibilidad de lanzar a integrantes del grupo como solistas; de hecho, eso era lo que se pretendía hacer con Mary y por ello, se supone, estaban buscando a alguien para reemplazarla".

Lo que en esos momentos era una gran dicha se convertiría en un martirio de cinco años, del cual me fue sumamente difícil liberarme.

Mi hija había cumplido doce años —evoca la madre de Karina—; tenía un mes de haber entrado a la secundaria y yo ya la veía estudiando en México para ser artista. Era muy alegre, desenvuelta y, sobre todo, simpática. Nuestra niña es lo que más quiero en el mundo, por eso sentí una profunda tristeza cuando presentí que nos separaríamos de ella.

La propuesta que nos hizo Gloria la emocionó tanto que lo único que repetía era: "Por favor, mamá, permítame ir, prometo que los llamaré continuamente y que no vamos a dejar de vernos". Su entusiasmo era conmovedor y no pude negarle la oportunidad; sólo faltaba saber qué opinaría mi esposo.

Gloria invitó a Kari para que se integrara en un futuro a su grupo, ya que una de sus coristas, María Raquenel Portillo, sería lanzada como solista y habría una vacante. Siempre estaban buscando nuevos talentos, me explicó la famosa cantante.

Si Kari aprobaba el casting y nosotros estábamos de acuerdo, tendría que trasladarse a la Ciudad de México; sería becada y estaría a prueba tres meses. Más adelante entraría al grupo con un sueldo inicial de veinte mil pesos mensuales, bajo contratos que tendríamos que firmar mi esposo y yo porque ella era menor de edad. Pero si no pasaba las pruebas o simplemente las cosas no fueran lo que ella imaginaba, la niña regresaría a Chihuahua y la amistad continuaría como siempre. Además, según nos explicó Gloria, sus coristas se irían rotando pues su empresa de representación pretendía lanzarlas como nuevos talentos dentro del espectáculo. Así Kari llegaría a ser solista, como siempre lo había deseado y en poco tiempo.

La tristeza, la preocupación y la alegría se mezclaban en mi interior. Me asaltaron las dudas: ¿Podría separarme de mi hija? ¿Soportaría que se fuera tan lejos? Le pregunté a Gloria si podía vivir con ella en la capital; me respondió que no porque harían giras por el país y el extranjero, y me dio a entender que no podrían costear mis gastos. De hecho, comentó que esto podría interferir negativamente en el aprendizaje de mi hija y dijo que ninguna de las mamás de las chicas de su grupo se encontraban con ellas. Acepté sus razones porque me parecieron lógicas, pero no dejé de sentirme triste. Antes de irnos nos dijeron que se pondrían en contacto con nosotros en diez días.

Mi chiquita estaba tan emocionada que a diario, al regresar de la escuela, me preguntaba si habían llamado. Cuatro días después habló por teléfono María Raquenel Portillo, conocida en el medio artístico como "Mary Boquitas".

Ilustrando la portada de la revista *Activa*, Gloria afirma: "Soy la mejor". 1992 Vol. 16, núm. 13, *Activa*

Me dijo que le harían el casting a la niña, por lo cual tendríamos que trasladarnos el 12 de octubre a la Ciudad de México. Cuando le di la noticia a Karinita, a su regreso de la secundaria, saltó de gusto y alegría.

El día que salimos para la Ciudad de México, una vez que todo estaba listo para mi audición, era un auténtico manojo de nervios. "¿Quién me hará el casting?", me preguntaba. "¿Estaré lo suficientemente preparada para hacer un buen papel?" Esperaba que Gloria estuviera ahí para apoyarme. Al preparar mi maleta pensaba que extrañaría a mis Barbies —mis queridas amigas y compañeras—, pero ni modo, tendría que aguantarme.

Después de un viaje que se me hizo larguísimo llegamos al aeropuerto de la Ciudad de México, al que acudieron Katia de la Cuesta y María Raquenel Portillo. Katia nos recibió en la sala de llegada nacional y nos llevó afuera, donde Mary nos esperaba en un automóvil Grand Marquis azul. Muy lindas y atentas, nos llevaron al Hotel del Bosque para que nos instaláramos mi mamá y yo. Mary dijo que pasaría muy temprano por nosotras.

No pude dormir pensando en la audición y en que tenía que aprobarla. Era una gran ilusión para mí entrar al grupo de Gloria y aprender mucho.

El día de la audición fue largo y estimulante. Significó, ni más ni menos, el punto de partida de una nueva vida, algo que entonces yo consideraba como un gran paso, como *la* oportunidad que sólo se nos presenta una vez.

¡Lo logré, estudiaría con Gloria Trevi! Lo único que faltaba era hablar con mi papá para saber su opinión. Mis sentimientos eran caóticos; mi vida iba a dar un giro y, aunque eso me provocaba un poco de miedo, también me hacía sentir ¡feliz!

Desde que me levanté —muy temprano— no podía dejar de hablar; no sé qué tanto le dije a mi mamá, quien, por cierto, también estaba muy nerviosa. Para no volverme loca esperando prendí la televisión; me sorprendí al ver que pasaban el video de "El recuento de los daños". Casi enloquezco; era una coincidencia fantástica; me puse a bailar y justo cuando terminó la canción llegó Mary, con una muchacha de nombre Susana.

Nos llevaron al hotel Sevilla Palace, donde Mary, mi mamá y yo ordenamos de desayunar y platicamos largo rato a la espera de que me llamaran para mi prueba. Casi no pude comer por las mariposas que sentía en el estómago. Al observar que mi mamá también estaba muy nerviosa, Mary le decía que no se preocupara, que todo saldría bien y a mí me comentaba que pusiera mi mejor esfuerzo ya que se me presentaba una magnífica oportunidad. Cantó fragmentos de canciones de Boquitas Pintadas y me pidió que yo a mi vez cantara una parte de "El recuento de los daños"; al concluir, juzgó que estaba muy bien, que era bastante afinada.

Después de ausentarse varias veces y ver si todo estaba listo, por fin Mary me informó que había llegado la hora. Al levantarnos de la mesa, le pidió

A finales de año salió a la venta el primer calendario "Trevi 92", con el que Gloria creó gran polémica por sus insinuantes tomas. Vendió trescientas mil copias en cuatro meses.
6 de mayo de 1992
www. mundolatino .com

Durante 1993 la Trevi se presentó en las principales ciudades de Colombia, Perú, Argentina y Puerto Rico. Apareció su calendario 1994, el cual fue mucho más atrevido que los anteriores. 26 de mayo de 2000 Cronología en *Reforma* (*deperiodist@s*)

a mi mamá que se quedara con ella; yo debía subir sola con una de las chicas que entró en ese momento —creo que era Gabriela—, porque, nos explicó, la presencia de mi mamá podía influir en mi actitud y desempeño. Agregó que cuando subiera a un escenario ella no estaría conmigo; por eso debía aprender a desenvolverme sola. Mi mamá estuvo de acuerdo y me deseó mucha suerte.

Con todos los nervios del mundo subí a una suite enorme, que tenía dos camas gigantescas y una salita. Al entrar no vi a nadie; minutos después se presentó Gloria. Mi cuerpo vibraba de la emoción. Entonces se decidiría si haría realidad mis sueños: que me aceptaran para estudiar con miras a convertirme en artista, para aprender canto, baile y cómo tocar el piano o algún otro instrumento pero, más que nada, estar cerca de mi estrella favorita. ¡No podía fallar!

Las palabras de Gloria fueron alentadoras, aunque hasta cierto punto me pusieron más nerviosa, pues la audición me la haría nada menos que su representante. "Tienes que echarle muchas ganas, pues la prueba te la va a hacer mi representante, que es una persona muy fina, muy exigente y muy profesional. Él para nada se fija en ningún aspecto a nivel personal, sino en el potencial que uno tenga para el mundo artístico. Él creó a Lucerito, a Cristal y a Yuri. Nada te debe dar pena y haz todo lo que él te pida. Por favor, no me falles. Te quiero mucho; además, te conozco desde chiquita y deseo que seas tú la que se quede con el lugar." Parecía ser ya mi amiga; me dio muchos consejos y me sentí apoyada. Me explicó que me darían unos cambios de ropa que debía usar para la prueba.

Luego entró un señor muy serio y gordo; era Sergio Andrade. Gloria me lo presentó y al saludarlo me apené mucho, porque se veía que era muy exigente. Al quedarnos solos él me preguntó mi edad, mi fecha de nacimiento, mi estatura, mi talla y mi peso. Quiso saber cómo era mi relación con mi familia y cuál era mi religión. Me sonrojé cuando me preguntó si tenía novio. Claro que no; amigos y amigas sí, pero novio no, le dije. Me informó que de ser seleccionada tendría que dejar todo; yo estaba dispuesta a hacer un gran esfuerzo con tal de estar con mi ídolo, Gloria Trevi.

Después entré al baño para cambiarme de ropa. Tenía que ponerme una blusa y una falda chiquititas y unas botas blancas que una de las muchachas había dejado ahí. Como estaba tardando mucho por el miedo y la vergüenza que me provocaba no poder acomodarme la faldita para cubrirme bien, entró Gabriela Holguín, diciéndome que me estaban esperando, que me apurara. En ese momento comprendí que debía ser grande, que nada debía darme pena, como me había dicho Gloria; no sé cómo pero me armé de valor y salí vestida con esa ropa.

El señor Andrade, muy serio siempre, me pidió que me parara derecha, de perfil y de espaldas, luego que caminara de un lado a otro como si estuviera modelando. Después bailé y antes de ir a cambiarme canté "El recuento de los daños". Creo que lo hice lo mejor que pude.

Ya vestida con mi ropa me pidió que actuara como una indita que le iba a pedir trabajo y estaba muy necesitada; luego tuve que interpretar a una niña "fresa" y prepotente. Él rió un poco y yo me sentí menos nerviosa.

Al terminar, el señor Andrade salió de la habitación. Minutos después regresó Gloria y me preguntó cómo me había ido; quería que le contara todo lo que hice. Se comportó como mi gran amiga, es maravilloso. ¡La cantante más famosa del mundo era *mi* amiga!

Más tarde subió mi mamá y le dijeron que había aprobado la audición. No pude contener la emoción y empecé a dar de brincos, la abracé tan fuerte que casi le saco el aire. Era como un sueño cristalizado, aunque, claro, no sabía si podría trasladarme a vivir en la Ciudad de México lejos de mi familia. Pensaba que los primeros días sería un mar de lágrimas…

Karina detallaba las condiciones para entrar al grupo: "Sergio le informó a mi mamá que había pasado la audición; le explicó lo que ya Gloria nos comunicara en Chihuahua, es decir, que estaría tres meses a prueba y que sería becada. El monto del sueldo, si entraba al grupo, era el mismo que el mencionado por Gloria.

"Además, debía trasladarme a la Ciudad de México con una carta notarial de mis papás, en la que otorgaran su autorización para que yo viajara en México y en el extranjero en compañía de María Raquenel Portillo y de Elva Gabriela Holguín. Por último, requería un pasaporte actualizado, la visa vigente para Estados Unidos y un acta de nacimiento original."

En mi mente y en mi corazón todo era genial: estaría con Gloria y estudiaría para ser famosa y una gran artista como ella. Me darían clases de canto, de baile y de actuación; ¡todo lo que me gustaba! Había posibilidades de que cumpliera mi sueño más anhelado. Me moría de ganas de contárselo a Bere, quien ni siquiera imaginaba lo que sucedía conmigo. Sabía que cuando se enterara iba a contagiarse de la emoción.

Tenía tantas cosas en qué pensar que no sabía por dónde empezar. Primero necesitaba convencer a mis papás; esperaba ansiosamente que me dieran permiso, ya que esto era lo más grande que me hubiera ocurrido; confiaba en que me ayudarían. Sabía que sería difícil, pero simplemente no podía defraudar a Gloria; ella me dijo que confiaba en mí. A lo mejor ya mucha gente le había fallado y no podía hacerlo yo también.

Hubo un detalle que me pareció un poco extraño: cuando estábamos conversando con ellos, el señor Andrade llamó a Katia para que nos llevara de regreso a nuestro hotel. Ella salió de un lugar que me pareció que era un clóset. ¿Qué estaría haciendo ahí? "Quizá me equivoqué y en realidad era otro cuarto, pero mucho más chico", me dije entonces.

La carismática Trevi inició 1994 con el lanzamiento de su disco *Más turbada que nunca*, y su nuevo calendario fue todo un acontecimiento periodístico. 1994 Cronología en *Marque Sur* y *Vanidades*

Sergio Andrade, "Una máquina que produce y compone temas", así describe *TVynovelas* a Andrade, entrevistado con motivo de la aparición de su primer disco en 1985, en el cual debuta como cantante. 1985 *TVynovelas*

Ya de vuelta en el hotel, recogimos nuestras cosas y, aunque estábamos muy cansadas, ese mismo día regresamos a Chihuahua.

En el avión rumbo a mi casa me sentí muy mal porque mi mamá estaba llorando; se resistía a que me fuera a vivir tan lejos. Yo, que la quiero tanto, no sabía cómo consolarla; me dolía verla triste. Me dieron ganas de llorar pero me aguanté para no lastimarla más.

"¿Qué haré?", me cuestionaba una y otra vez. Gloria me dijo que la ayudara a convencer a mis papás y yo debía responder a su confianza. Además, en mi inocencia, pensaba que con el dinero que ganara podría ahorrar lo suficiente para que operaran a mi papi, que lleva tantos años en silla de ruedas. Para mí sería muy importante ayudar a mi familia y cuando fuera un poco más grande, ser un apoyo para ellos.

Otra cosa que me causaba dolor era que, pese a que conocería mucha gente, sabía cuánto extrañaría a mis amigas. Pero bueno, ahora mi mejor amiga era Gloria, a quien quería mucho y a quien podía contarle todas mis cosas. "Ella me entiende y me da buenos consejos, como lo hizo en la audición", me decía para darme ánimos.

Era muy frustrante ver que mis padres no se ponían de acuerdo. Hubo días enteros de discusiones, porque mi papá se negaba a que me mudara a estudiar a la Ciudad de México. Mi mamá se mostraba un poco más accesible pero no conseguía que adoptara una decisión firme; a veces parecía tomar el lado de mi papá quien, por más que le aseguraba que si no me gustaba lo que encontrara, regresaría, no quería darme permiso. Eso me preocupaba; si no los convencía, ¿qué pensaría Gloria de mí? Seguramente que no era una buena amiga. Ella deseaba que yo fuera su corista y eso era lo importante.

La madre de Karina narra que en aquellos días su hija estaba muy ilusionada; todos los días era hablar de lo mismo. "Mamá, por favor, déjame ir, al cabo que si no aguanto, puedo volver. Dame permiso para ir unas semanas, a ver qué pasa, qué aprendo. En cualquier momento puedes ir por mí." Con esas palabras cargadas de desesperación consiguió convencerme, pero no evitó que sintiera un profundo dolor por separarme de mi niña.

Sin embargo, Miguel continuaba oponiéndose, ya que este tipo de cosas iban en contra de sus principios cristianos. Pero Kari insistía: "Papá, esto es muy parecido a cuando la gente envía a sus hijos a estudiar a Suiza, yo voy a la Ciudad de México, es mucho más cerca. Por favor, déjame ir".

No lograba convencer a mi papá. Era una sensación terrible, pues lo que más anhelaba en ese momento era irme con Gloria y estudiar duro en la capital. No le veía nada de malo; insistía en que si me daban permiso iban a hacerme muy feliz… al fin que me comunicaría con ellos seguido y los vería periódicamente. Además, Mary era muy linda y dijo

Una sospecha aparece en la entrevista: corren rumores de que Sergio seduce, maltrata y explota "jovencitas". Él enfrenta la acusación: "Hubo una ola de comentarios sobre mí, que yo no imaginaba. Se me llamó desde explotador hasta pervertidor de menores y pensé que las cosas por su propio peso caen. Que si soy así, el tiempo lo dirá; que si no lo soy, igual".
1985
TVynovelas

En el Madison Square Garden de Nueva York, la Trevi desnuda a uno de los espectadores en el escenario. Los medios lo difunden ampliamente. Abril de 1994
TVynovelas

que me cuidarían bien. "El que no arriesga no gana", afirmaba para mí.

Vivimos en la casa momentos de mucha tensión —opina el padre de Karina—. Todos los días discutía con mi mujer y con Kari, quienes insistían en que la dejara ir a estudiar a la Ciudad de México con Gloria Trevi.

Karina no se rendía. Me dijo que Gloria no está loquita, que es muy inteligente y que su cabello despeinado en realidad es muy bonito. Cuando mi hija se propone algo lo consigue.

Fui a hablar con un amigo pastor, Armando Parra, del Centro Familiar Cristiano "El Shadai", sobre el asunto. Después de esa conversación, y ante la presión de ellas, decidí dejarla ir. En ese momento pensé: "Cada cristiano es un misionero, o debería serlo, pues siempre buscamos que las personas se acerquen a Cristo. Kari podría enseñarles el camino hacia Dios. Gloria y su grupo pueden llegar a ser buenos cristianos. Además, según mi esposa, el señor Sergio Andrade ha promovido a muchos artistas; es un hombre importante, inteligente y muy serio. Karina vivirá únicamente con muchachas y si, como me ha dicho, será feliz, tendré que darle la oportunidad, en principio, de que lo intente".

Por fin, mi papá me dio permiso. ¡En ese instante me convertí en la niña más feliz del mundo! Me obsequió una Biblia para que lleve conmigo y siempre esté acompañada por Cristo.

Lo único que me restaba por hacer era reunir los documentos que solicitaron para poder estar con la estrella del momento, con mi nueva amiga: Gloria Trevi.

Fui con mi mamá a Ciudad Juárez para tramitar mi pasaporte y mi visa de Estados Unidos. Faltaba la carta notarial que el señor Andrade le pidió a mi mamá para que pudiera viajar con Mary o con Gabriela. Querían incluirme en las giras que hacían por el país, lo cual formaría parte de mi aprendizaje. Como le comentó a mi mamá, si iba a ser artista tendría que viajar con frecuencia. ¡Qué emocionante! Me encantaba pensar en conocer muchos lugares.

Esa noche tampoco pude dormir bien; en unos días vería a Gloria y comenzarían mis clases. ¡Qué padre! Sentía un poco de miedo, pero confiaba en que lo lograría.

Por otra parte, era una pena no poder contarle la verdad a mis amigas. Nos pidieron mucha discreción y que no lo comentáramos a nadie, ya que la gente podía sentir envidia y hacer que las cosas no salgan como lo habíamos planeado.

A los 17 años, Karina explica ante el ministerio público por qué la carta notarial solicitada no se redactó a nombre de Sergio Gustavo Andrade y de Gloria de los Ángeles Treviño: "En aquel entonces ignoraba por qué debían ser Mary y Gabriela y no Sergio las responsables mencionadas en dicha carta. Ahora supongo que ni Sergio ni Gloria querían hacerse responsables; mucho menos que existiera algún documento que los involucrara directamente. Por otra parte, ellas eran las personas más allegadas a Sergio y lo acompañaban en muchos de sus viajes".

Imágenes de Gloria Trevi aparecen publicadas en el *New York Times*, *People Magazine*, *The New Yorker*, *The Village Voice* y en varios noticieros estadounidenses. La cantante, de veinticuatro años, ha vendido millones de discos y ha generado franquicias dedicadas a su culto. Junio de 1994 *Cosmopolitan*

El 3 o 4 de noviembre —todo ocurrió tan rápido que a veces no estoy segura—, de pronto, me encontraba volando a la Ciudad de México junto con Mary y Katia, que fueron por mí a Chihuahua.

Mary llamó para decir que ese mismo día vendrían por mí. Estaba jugando con mis Barbies, y cuando llegaron por mí fue tanta mi emoción que las dejé tiradas; me olvidé de ellas. Después me remordería la conciencia porque siempre las había tenido cerca de mí.

En el aeropuerto me despedí llorando de mi familia. Mi mamá me abrazó muy fuerte diciéndome que me cuidara mucho, que no dejara de llamarle y que Dios me bendijera. Mi abuelita Bertha y mi tía Tere también me dieron miles de consejos, pero sobre todo que estudiara mucho.

Al llegar nos hospedamos en el hotel que está frente al aeropuerto, entonces llamado Continental Plaza.

Katia, de unos diecinueve o veinte años, era muy seria y casi no platicaba conmigo. En cambio Mary no dejaba de hacerme preguntas sobre novios y esas cosas. Me parecía mi hermana mayor porque, desde luego, tenía mucha más experiencia. Me dio vergüenza contarle que nunca había tenido novio; de hecho, aunque conocía a un niño guapo en mi escuela, casi no hablaba con él.

Puedo calificar ese día como raro, y al terminar quedé agotada. A ratos estaba contenta y a ratos extrañaba a mi mamá y me sentía sola y triste; me hubiera gustado platicar con ella como cuando regresaba de la escuela y hablábamos durante horas. Ahí todo era diferente. Trataba de adaptarme; anhelaba "ser grande" y no llorar.

Al día siguiente Mary me dijo que empezarían mis clases. Nos dirigimos en una camioneta panel blanca a una casa en la calle de José María Iglesias; minutos más tarde me dejó con Katia en Insurgentes, justo frente a un restaurante que se llama Arroyo. Ella tenía que ir a hacer otras cosas. Cuando bajé del vehículo quise llevarme mi maleta, pero Mary me dijo que tendríamos que caminar unas cuadras antes de llegar a nuestro destino, que mejor la dejara. Me pareció razonable, y prometió entregármela en la noche.

Caminé con Katia hasta una casa en la calle Abasolo, número 168. No había nadie; era un lugar muy viejo y feo; la verdad no me gustó y hacía mucho frío.

Al principio estaba muy emocionada porque empezarían mis clases; pensé que tendría muchas compañeras y que los salones contarían con piso de duela y grandes espejos, como el lugar donde tomaba clases de jazz en Chihuahua. Pero no, ahí nada era igual.

Katia, que fue mi instructora, me prestó unos shorts y una camiseta. Fue la clase más dura que he tenido en mi vida. Hice tanto ejercicio durante tanto tiempo que me desvanecí, y es que ni siquiera habíamos desayunado.

Gloria afirma que en cinco o seis años se casará porque piensa ser presidenta de México y necesitará un "primer damo". Junio de 1994 *Cosmopolitan*

Gloria está festejando cinco años de carrera artística y aparece en los programas *Al despertar*, *Siempre en domingo* y *Un nuevo día*.
Junio de 1994
Cosmopolitan

Cenamos un poco de atún, porque no había nada en el refrigerador. Katia prendió la televisión. Por algo que vimos en la tele, surgió el tema del aborto. Le dije que para mí es algo muy malo y comenzamos a discutir porque ella sí estaba de acuerdo, lo consideraba algo natural y cotidiano. Pero según yo es un acto irresponsable y aunque la verdad no sabía mucho de relaciones sexuales ni de esas cosas, opinaba que nadie tiene derecho a interrumpir la vida de un ser inocente.

Sin poder pensar más por el cansancio y el dolor en todo el cuerpo, me acosté a dormir.

Han pasado varias horas desde que Karina comenzó a hablar ante el juez. Los recuerdos se agolpan en su mente; son dolorosos, su rostro joven se endurece. No le es fácil reconocer que fue víctima de engaños, de mentiras; como en aquellos primeros días al lado de Katia de la Cuesta y María Raquenel Portillo y el asunto de que le quitaran su maleta: "En ese momento sólo me pareció un poco extraño pero con el paso del tiempo comprendí sus verdaderos motivos: revisaban las pertenencias de las nuevas integrantes, con el fin de conocer más a la persona; por ejemplo, para enterarse de si llevaba fotografías de algún novio o de su familia, o alguna Biblia —como yo—, cartas, etc. De esta manera sabrían qué técnica usar con ella para los fines que en realidad perseguían: que tuviera relaciones sexuales con Sergio".

Cada detalle es importante y a pesar del dolor la ex tecladista de Gloria Trevi continúa: "Posteriormente pude darme cuenta de que cuando llegaban personas nuevas, Sergio daba la orden a las instructoras de ejercicio, como en este caso lo era Katia para mí, de dar una clase muy pesada, a más no poder. Utilizaba la expresión: 'Truénala', en el sentido de que le diera la clase hasta que no pudiera hacer más ejercicio".

Cuatro días después de que dejé mi casa, me encontraba en Cuernavaca. Fue un viaje precipitado y extraño porque ni siquiera me dijeron cuál era nuestro destino.

Mary llegó por nosotras en la panel blanca. Katia y yo nos sentamos en la parte de atrás. Como la camioneta sólo tiene las ventanas de enfrente y una pequeñita atrás, no podía ver a dónde íbamos. De pronto Mary se detuvo y vi que estaba pagando en una caseta; les pregunté qué a dónde nos dirigíamos porque mis padres me dijeron que si salía de la ciudad les avisara, pero ellas me respondieron con preguntas evasivas, como: "¿Por qué?" Me sentí mal, como si hubiera dicho algo incorrecto. Yo quería saber, deseaba avisarles a mis papás, pero tuve que aguantarme y quedarme callada, pues noté algo de ironía y molestia en ellas, Katia en especial. "A lo mejor así es la gente del medio artístico", me dije.

Al llegar fuimos al estacionamiento de un centro comercial —creo que era la Comercial Mexicana— y una de ellas bajó a hacer unas compras, mientras que las demás entramos al restaurante California para comer algo. Entonces me sentí un poco mejor. No recuerdo bien si Marlene nos acompañó

Entrevistada por el diario *Reforma*, Gloria dice que desea comprarse un yate, una isla y ser muy rica. Su verdadera amiga es "Mary Boquitas", afirma.
10 de agosto de 1994
Reforma

desde México o si la vimos en el centro comercial, pero en el restaurante ya estaba con nosotras.

De ahí fuimos a un lugar que ellas llamaban la "Casa Blanca", la cual era muy bonita, no como la de la Ciudad de México; creo que aquí se filmó el video de la canción "El recuento de los daños". Era emocionante. Por fin vi a Gloria y conocí a Claudia y a Natalí.

Continúa su declaración en el juzgado: después de tomar un poco de aire y con la mirada fija Karina declara: "Ahí conocí a Wendy Selene Castelo y a Edith Alejandra Zúñiga Poblete, como las personas que iban a estar conmigo y entre las cuales al final habría únicamente una seleccionada. No me las presentaron con sus nombres reales; a Wendy la conocí como 'Claudia' y a Edith como 'Natalí' y me dijeron edades menores de las que en realidad tenían".

Gloria me dijo que Sergio Andrade me haría una evaluación en su casa; me recomendó que siguiera sus instrucciones al pie de la letra, sin pena, como lo hice en la audición.

Me contó una anécdota sobre una chica llamada Susana Rodríguez quien, cuando llegó el momento de que le hicieran una evaluación similar, se puso un vestido transparente para modelarle a Sergio; como su ropa interior era negra y no quería que se notara, se la quitó. Según Gloria, él opinó que Susana era una profesional por haber hecho eso. Afirmaba que él también lo es y no tiene nada de morboso; por eso, decía que, de encontrarme en una situación similar, yo debía hacer lo mismo.

La verdad, en esos momentos todo me parecía un tanto raro y me atemorizaba. Pensaba que tal vez Gloria tuviera razón y yo debía siempre comportarme como una profesional y no asustarme. Pero no podía evitarlo y lo atribuía a que no estaba acostumbrada a vivir en esas circunstancias.

Al recordar todo lo que Gloria me aconsejaba que hiciera cuando llegué, me invaden la tristeza y el dolor; yo creía que era mi amiga, la quería mucho y pensé que era sincera conmigo. Cuando poco a poco me di cuenta de que todas sus palabras albergaban sólo la intención de manipularme para que Sergio pudiera tener sexo conmigo, no podía creer el monstruoso trasfondo de tantas horas dedicadas a hablarme de las relaciones sexuales, de lo hermosas que eran, de lo sensible y bueno que era Sergio, de que ella quería que yo, "su gran amiga", lo hiciera feliz. ¿Cómo no me percaté a tiempo? Ahora reflexiono en que era sólo una niña y en cambio ella una gran experta, pues quién sabe cuántas niñas fueron manipuladas y engañadas antes, más las que me tocó ver a mí después... Pero eso a ella no le parece corrupción.

Gloria y Gabriela me llevaron a mi prueba. Estaba muy nerviosa, como si fuera la primera vez que veía a Sergio Andrade. Me dieron tres o cuatro cambios de ropa, que consistían en dos bikinis, un vestido largo semitransparente y un vestido blanco corto, como de encaje (seguramente era aquel que usó Susana sin ropa interior aunque se le transparentara todo, según me contó Gloria). Todos los cambios debían ser acompañados con unos zapatos rojos de tacón alto.

La casa donde vivía Sergio la llamaban la "Casa Rosa" y también era bonita, con jardín y grandes ventanales.

En la sala modelé vestida con la ropa que me dieron. Él tomó fotografías con una cámara Polaroid. Eso sí, cuando utilicé el vestido semitransparente me dejé puesto uno de los bikinis, pues me dio mucha pena. Al final me sentía menos tensa.

Los primeros días que estuve con el grupo me sentía un poco mal porque extrañaba a mi familia; de no haber sido por Gloria y Mary, que se mostraban tan lindas conmigo, y por mis ganas de ser artista, hubiera regresado a mi casa. Sin embargo, me repetía: "Debo ser fuerte y grande".

Sufría mucha hambre, casi no me daban de comer; yo suponía que para que no engordara. Sin embargo, por vergüenza y temor, no decía nada.

Todos los días tenía clases de ejercicios y baile impartidas por Mary. Mis compañeras eran Claudia y Natalí y en algunas ocasiones Marlene. Todas acabábamos súper cansadas, pues el ejercicio era intenso. Pero, como Gloria externaba, yo creía que sólo era pesado para las mediocres; para las personas que quieren superarse como yo, era bueno.

Ella iba a verme todos los días, lo cual me daba mucho gusto porque sentía que era mi mejor amiga. Platicábamos largo y tendido sobre las clases y otras cosas. Me preguntaba acerca de mi familia y si tenía novio en Chihuahua. También me hablaba de Sergio y de sus novias; aunque me parecía algo fuera de lo normal que compartiera conmigo estas cosas, me caía tan bien que podía pasar horas conversando con ella y todo me parecía importante. A veces hasta ponía algún disco con canciones compuestas por Sergio. Me parecían hermosas y casi me hacían llorar, sobre todo cuando Gloria me contaba el daño que le habían hecho diferentes personas. "Pobrecito", me decía.

Un día puso la canción "Con tan pocos años", compuesta por él e interpretada por Lucerito. Me contó que Sergio fue novio de ella y la quiso mucho, que incluso tuvieron relaciones sexuales y que la relación terminó porque la madre de Lucerito los separó; esto lo lastimó y desde entonces era extremadamente sensible. Según ella, cuando Lucerito iba a ensayar las canciones con él aprovechaban para hacer el amor sin que su mamá se diera cuenta. Comentó que en el primer disco se le oye a la ahora famosa cantante una voz como de ardilla pero que después, como se enamoró de Sergio y él empezó a hacerla mujer, la voz le cambió por completo; además, ya sentía en verdad lo que dicen las canciones como "Con tan pocos años". Agregó que Sergio le pidió a Lucerito que ocultaran su amor, pero como ella no obedeció y se lo contó a su mamá, todo aquello tan hermoso acabó. "Por eso hay muchas cosas que no debes platicarle ni siquiera a tu mamá", concluyó.

Para Gloria él era una persona muy buena y solitaria, y yo lo creía; me apenaba que se sintiera tan triste y sufriera tanto, sobre todo porque eso afectaba a Gloria. También me aconsejó que le hablara de tú a Sergio pues según ella él era un hombre muy joven y de lo contrario podría ofenderse. Por supuesto que ahí empezaba todo el lavado de cerebro para sus mal intencionados fines.

Nos dejaron tres días sin probar alimento porque —como ahora sé— Claudia y Natalí debían bajar de peso para el calendario 1995 de Gloria. Yo me sentía morir y no entendía por qué también a mí me dejaban sin comer. Estoy convencida de que todo era parte de la estrategia para hacerme sentir mal.

Sergio nos explicó que tendríamos una sesión de fotografías a la cual iría primero Natalí, luego Claudia y al final yo.

Hubo ocasiones en que anhelaba hablarles a mis papás y decirles que venieran a buscarme, pero como estaba segura de que Gloria esperaba mucho de mí y deseaba que me quedara en el lugar de Mary, decidía que tenía que seguir adelante y demostrarle que era la mejor para ser su corista.

Pero era inevitable, extrañaba mis Barbies. Y como en el grupo eran muy estrictos, ni siquiera podía tener todas mis cosas que traje de Chihuahua. Me parecía que alguien las había guardado fuera de mi alcance.

Contrario a lo que nos informara Sergio, Claudia se fue con él antes que nadie, mientras Natalí y yo tuvimos la rutina de ejercicio más pesada que nunca, sin un bocado para probar. Lo más extraño es que a altas horas de la madrugada no había regresado. Mary me dijo que antes estuvo en casa de Sergio y los vio muy contentos conversando.

Al día siguiente llegó Claudia muy sonriente y con una ropa súper padre que parecía nueva; me imaginé que Sergio se la compró para las fotos. También traía algunas golosinas que estaban casi por terminarse… ¡y yo que me estaba muriendo de hambre! Pensé que Sergio la había llevado a comer. Cuando entró a la casa hizo mucho ruido como para que volteara a verla y me dirigió una mirada desafiante. En ese momento pensé que era muy rara.

Claudia no me simpatizaba; era despectiva, cortante y a veces sentía como que se burlaba de mí. Siempre me hacía sentir mal y cuando veía que Natalí se acercaba a querer conversar conmigo, la llamaba y no sé qué tanto le decía, pero lograba que ya no regresara. Era la única de todas las que vivíamos ahí que me trataba así y, la verdad, yo no le había hecho nada para que se comportara tan feo conmigo; no me dirigía la palabra y cuando lo hacía era sólo para agredirme.

Gloria me comentaba que no fuera tonta, que observara cuán audaz era Claudia, que me estaba comiendo el mandado pues obviamente se le estaba metiendo a Sergio por los ojos para quedarse con el lugar y si yo seguía de tonta, seguro lo lograría. Quería que me hiciera amiga de él e hiciera hasta lo imposible por evitar que Claudia se saliera con la suya... Si yo me mostraba confundida e insegura al respecto, Gloria aducía que no confiaba en ella y que no éramos amigas. Entonces me convencía de que tenía razón, que no me diría nada por mi mal.

La situación con Claudia empeoraba cada día; el viernes incluso tomó un cuchillo con el que me amenazó, diciéndome que pasara lo que pasara yo no me quedaría con ese lugar, pues le pertenecía sólo a ella. Yo la empujé y corrí a encerrarme en un cuarto mientras ella, desesperada, intentaba abrirlo. Más tarde llegó Sergio, entró al cuarto y me preguntó qué había pasado. Se lo conté y llorando le dije que ya quería irme, que no soportaba todo eso, que extrañaba mucho a mi familia y me disculpara por no poder continuar. Él me abrazó, me consoló, me acarició el cabello y me prometió que hablaría con Claudia para que me dejara en paz.

Desde luego, para una niña como yo esa actitud lo hacía parecer una persona buena.

Si en esos momentos hubiera imaginado que todo lo que Claudia hacía era parte de un plan de Sergio, Gloria y Mary para hacerme sentir mal y envolverme, las cosas habrían sido distintas.

El domingo hice algo diferente. Después de mi clase de vocalización Sergio me llevó a comer a un Burger King. Como ya tenía dos días sin comer, casi devoré mi hamburguesa. Luego me sentí muy bien. Él empezó a platicarme sobre sus valores, por ejemplo, su opinión respecto a las mentiras, que para él eran lo peor, y me hizo preguntas sobre mi manera de pensar. Comentó que coincidimos muchísimo en temas que para él son de gran importancia. Eso provocó que me sintiera reforzada.

Más tarde me sorprendió al pedirme que bajara con él en un cine; cuando vi que compró dos boletos, pensé que me llevaría en el auto de vuelta a la Casa Blanca. No sabía que yo sería su invitada; al fin y al cabo, para mí él era como el importante director de una empresa, lo cual me imponía bastante. Finalmente, entramos a ver una película de Silvester Stallone. Estuve muy tímida y avergonzada por su presencia; era mucho más grande que yo y además era mi maestro. No pude disfrutar la película por la tensión y en una o dos escenas cerré los ojos porque los actores aparecían desnudos y no me gustaba ver esas cosas. No las consideraba adecuadas para mi edad.

¡Qué angustia y tristeza sufrí aquel 13 de noviembre de 1994!, una fecha para olvidar. No podía parar de llorar y no sabía qué hacer. Esa tal Claudia me estaba volviendo loca y ni siquiera sabía por qué le caía tan mal. Inventó unas mentiras horribles sobre mí por las que Sergio casi me corrió. Fue espantoso lo que me pasó y me provocó una gran confusión. Era la peor noche de mi vida; decidí que no quería volver a verlo, me inspiraba mucho miedo.

Poco después de regresar del cine llegó Marlene, supuestamente venía de casa de Sergio. Me contó que él le dijo a Claudia que yo era muy talentosa y había pasado un día agradable conmigo, pero que había cerrado los ojos durante la película para no ver ciertas escenas; que eso lo incomodó bastante, aunque le pareció comprensible dada mi edad. Sin embargo, ella le contestó que yo era una hipócrita, que sólo pretendía hacerme la inocente para quedar bien con él y así obtener el lugar en el grupo. Argumentó que cuando fuimos amigas —cosa que nunca ha ocurrido y nunca ocurrirá— le platiqué sobre las relaciones sexuales que tuve con tres novios de Chihuahua. Eso no era cierto; no tuve ni tenía ningún novio. Eran puras mentiras.

Marlene insistió en que Sergio estaba muy decepcionado y molesto porque pensó que taparme los ojos en el cine fue un acto de hipocresía y él no quería personas así dentro del grupo. Estaba dispuesto a correrme. Yo me preguntaba: "¿Qué voy a hacer? Es horrible y no puedo hablar con Gloria, porque no sé dónde está".

Al escuchar a Marlene me solté llorando, diciéndole que nada de eso era verdad. Ella me respondió que Claudia es una intrigante y que lo único que pretendía era dañar y lastimar a Sergio, buscando quedarse con el puesto que Mary dejaría vacante.

En apariencia, Marlene prefería que yo me quedara en los coros. Por eso me aconsejó que no fuera tonta y le ayudara a evitar que Claudia lastimara a Sergio; que hablara con él para explicarle que no era cierto lo que ella le dijo. Sugirió que le "confesara" que estaba enamorada de él y que para demostrarle que no había tenido relaciones sexuales con otras personas, las tuviera con él.

Eso era imposible y de ninguna manera lo hubiera hecho, pensaba entonces. Apreciaba a Sergio como a un amigo. Pero hacer eso no, no quería, mucho menos sentía amor o algo parecido por él.

Discutimos mucho rato. Yo no estaba dispuesta a hacer lo que ella me recomendó; me dijo que seguramente Claudia tenía razón y que por eso no accedía a tener relaciones con Sergio, porque él descubriría que no era virgen. Sus palabras me indignaron muchísimo. Como no logró persuadirme, salió molesta de la habitación.

Más tarde llegó Mary y le conté todo lo sucedido. Ella confirmó lo dicho por Marlene y que Sergio estaba tan molesto que incluso ya había dado la orden para que a primera hora de la mañana me llevaran a la Ciudad de México y me pusieran en el avión de regreso a mi casa. Eso significaría desilusionar a Gloria.

Angustiada, le dije que Marlene sugirió que tuviera relaciones sexuales con Sergio; ella hizo un gesto con la mano y me aseguró que Marlene estaba loca, que no le hiciera caso, que no se trataba de eso; que simplemente fuera a hablar con él para explicarle que Claudia mintió y que deseaba quedarme con el lugar por mis aptitudes y no con engaños.

Después de esta plática accedí a hablar con él. Estaba muy pero muy asustada: nunca lo había visto enojado y no quería que me corriera.

Mary me llevó a la Casa Rosa donde, a diferencia de otras ocasiones, todas las luces estaban apagadas. Me guió hasta un lugar que luego me di cuenta era la recámara de Sergio; le explicó que yo quería hablar con él, me dio un leve empujón hacia adentro, cerró la puerta y se fue.

La recámara estaba a oscuras y mi temor iba en aumento. Por medio del brillo de su reloj, Sergio me hizo señas para que me sentara a un lado de la cama. Comencé a explicarle lo que me había dicho Mary. Él empezó a sollozar y me dijo que se sentía muy mal, muy triste, y que cuando Claudia le dijo esas cosas de mí, sintió una gran decepción.

Yo no sabía qué decir o cómo reaccionar; pensaba que era una buena persona y me resultaba penoso oírlo en ese estado. Recordé que Gloria me contó que en un accidente él perdió a una novia holandesa con la que iba a casarse y que después intentó quitarse la vida. Estaba entre conmovida y nerviosa. No podía dejarlo ahí tan deprimido. "Qué tal si quiere suicidarse otra vez", pensé.

Me animé y le dije que si se sentía mal, podía escucharlo; él me abrazó y me dio un beso en la mejilla. Me sentí incómoda, pero empecé a hablarle de cosas que pudieran tranquilizarlo. Sin embargo, él me repitió en varias ocasiones que le hiciera un favor y me callara; luego empezó a besarme en los labios, acarició mis partes íntimas por debajo de la ropa e intentó varias veces poner mi mano sobre su parte íntima, pero yo la retiré de inmediato.

Me quedé como una piedra; no sabía si gritar o llorar. Lo rechacé; él se dio cuenta, se alejó y llamó a Mary para que nos fuéramos. Me dijo que después platicaríamos.

Yo en realidad sentía que me iba a desmayar, que no podía estar pasando eso, que era una pesadilla de la cual quería despertar. Estaba sumamente confundida. No creía poder dormir en toda la noche; lloré muchísimo; todo me parecía terrible; sentía que no quería volver a verlo; tenía miedo y echaba tremendamente de menos a mis papás. Cómo olvidar, apenas habían transcurrido unos días desde mi llegada y ahora sucedía eso...

Sergio se presentó la mañana siguiente y me mandó llamar. Yo no podía ni levantar la mirada porque me sentía muy mal, pero él actuó como si nada hubiera pasado y estuvo más amable que nunca. Pensé que todo había sido un momento de confusión en él y por mi propia estabilidad emocional no quise darle más vueltas al asunto.

Katia me dijo que me alistara y me maquillara porque acompañaría a Sergio a un lugar; me trajo un cambio de mi ropa y cosméticos. Me dio una bolsa con galletas saladas y una lata de atún abierta pues no había comido nada desde el día anterior. Más tarde me avisó que afuera estaba Sergio y que subiera a la parte delantera del coche. Al hacerlo, él me saludó con un buenas tardes y yo le respondí el saludo. Continué callada y nerviosa hasta que me dijo que iríamos a un lugar para comer. Yo le pregunté si nos estaba esperando alguien; a partir del incidente de la noche anterior, deseaba que otra persona estuviera presente en todo momento. No me respondió.

Llegamos al restaurante Las Mañanitas y ya estando ahí empezó a conversar conmigo como un buen amigo. Poco a poco me tranquilicé, en especial cuando trajeron la comida, ya que me sentía bastante débil por la mala alimentación a la que estaba sometida. Sergio me hacía comentarios tiernos y simpáticos, como tratando de que yo olvidara la terrible escena en su recámara.

El día 19 de noviembre Mary me llevó nuevamente a la habitación de Sergio. Éste cerró la puerta y comenzó a acariciar mis partes íntimas. Fue todo tan confuso que no recuerdo cómo pero a la mañana siguiente desperté en su cama, desnuda y tapada con una sábana y él, como para que no me asustara, me dijo que muy temprano Gloria entró al cuarto sin tocar y le dio mucho gusto vernos dormir juntos. Yo no sabía cómo reaccionar ni qué decir; entonces él agregó que me vistiera porque iríamos a desayunar. Más tarde, cuando vi a Gloria, me dijo que me felicitaba por empezar a ponerme las pilas, que estaba feliz porque no veía a Sergio tan contento en mucho tiempo y que ahora sí le estaba demostrando que era su amiga. Yo me sentía absolutamente confundida, no comprendía lo que estaba pasando.

Recuerdo que fuimos a una casa cerca de Tabachines en Cuernavaca, en la cual le tomarían a Gloria y a las muchachas algunas fotografías para el calendario 95. Mientras se maquillaba, Gloria me aconsejaba que me acercara a Sergio y le dijera que quería hablar con él; pero como yo me sentía insegura y temerosa, me negué. Este tipo de reacción provocó su enojo en varias ocasiones, hasta que me advirtió que si no lo hacía no volvería a hablar conmigo y que no la considerara su amiga.

Ante esa amenaza, fui a donde estaba Sergio platicando con Maritza López, la fotógrafa de Gloria, y le dije que quería hablar con él. Él me dijo que sería más tarde. Por la noche subió a la recámara donde yo estaba e intentó tener un acercamiento sexual; al no permitírselo, se retiró molesto.

Horas después partimos en un camión hacia Acapulco para continuar la producción del calendario. Él no me habló durante todo el camino y mientras Gloria, Claudia, Natalí, Sonia y Claudia Rosas, baterista de Gloria, cantaban acompañadas por Sergio en la guitarra, a mí nadie me dirigía siquiera la palabra. Años después me contaron que Claudia Rosas, que formó parte de Boquitas Pintadas, también convivió con el grupo y en algún tiempo sostuvo relaciones sexuales múltiples con Sergio, Gloria y Mary por lo cual, aunque ella hizo su vida separada, lógicamente tenía conocimiento de la situación que vivíamos cada una de nosotras.

En una de las locaciones del calendario, nos detuvimos en una pequeña tienda y Sergio me dijo que entrara con Sonia y le trajera un jugo. Como no habíamos comido nada, yo me compré unas gomitas y otras golosinas con un dinero que me había dado mi mamá y que por alguna razón ellos me dejaron llevar conmigo. Después Sergio se enojó y no me dieron nada de cenar. Además, mandó a una persona con un plato de comida que se veía delicioso para que a mí se me antojara y me arrepintiera de no haber esperado hasta que se me diera algo de comer.

Gloria seguía yendo a verme con regularidad. Cuando platicábamos de los varios intentos sexuales que Sergio había tenido conmigo, me decía que por qué era así con él, que por favor no lo lastimara, que hablara abiertamente con ella y le confiara mis sentimientos. Y yo, obvio, le contestaba que no quería tener relaciones sexuales ni con él ni con nadie, dado que no estaba en edad para ello ni me llamaba la atención; por el contrario, me producía asco el sólo pensarlo.

Ante esos argumentos su respuesta era: "No seas india"; alegaba que pensaba así porque Chihuahua era un pueblo grande y anticuado; que ya no se usaba llegar virgen al matrimonio; que a ella le molestaba que los hombres nos valoraran simplemente por una telita que definía una supuesta virginidad; que teníamos los mismos derechos que ellos y esa exigencia machista no era justa. Me hacía creer que todos los hombres eran unos mediocres, excepto Sergio, que era lo máximo; que no tenía idea de lo tierno y maravilloso que era; que estaba solo y necesitaba a alguien que lo cuidara y lo valorara y qué mejor que yo, alguien joven que podía darle mucho y era una amiga en la cual ella depositaba toda su confianza. Y un largo etcétera.

Cuando no accedía a sus acercamientos me aislaban por varios días, me dejaban sin comer, me debilitaban con fuertes sesiones de ejercicio y ni siquiera podía hablar con Gloria o Mary, pues se encontraban muy molestas por mi actitud hacia Sergio.

En general, la disciplina era muy dura: todo el tiempo hacía ejercicio o estaba en mi habitación; a veces no comía y otras me daban poco alimento. Eso sí, cuando Sergio no estaba enojado conmigo podía comer más y tener un poco más de libertad, aunque fuera dentro de la misma casa.

Para comunicarme con mi familia, era necesario que me dieran permiso y no podía platicar con nadie, sólo él me escuchaba.

Sin embargo, había momentos en que consideraba a Sergio un gran hombre, un amigo y llegó a inspirarme seguridad. Tal era mi confusión, la confusión propia de una niña de doce años que recibe una cantidad de estímulos mayor a la que puede manejar su criterio todavía en formación. Cuando estaba con él me sentía menos mal, me compraba de comer, me protegía de Claudia, que supuestamente intrigaba en mi contra.

Ante la singularidad de tal situación tan rara me sentía un poco perdida: Gloria y Mary siempre me hablaban de Sergio. La primera insistía en que era lindo y noble, que lo habían herido, que necesitaba una niña que lo cuidara, que lo amara, y ella deseaba que fuera yo. Mary me preguntaba si ya había tenido una relación completa con él y agregaba que si no era así, que no fuera tonta, que no tenía nada de malo. Gloria me contaba que Sergio sentía que yo no quería estar con él ni tener relaciones sexuales.

Y en verdad, me parecía una locura. ¡A mi edad! Gloria me daba consejos: sostenía que las relaciones sexuales son lo más normal del mundo; que no me comportara como una anticuada; que no tuviera miedo; que tal vez la primera vez iba a sentir un poco de dolor pero que después me enamoraría como nunca lo había imaginado. Según ella, ya lo había hecho con su novio y aducía que era una de las cosas más maravillosas que puede haber. "¿Será cierto?", dudaba yo. De una cosa estaba segura: no quería tener relaciones sexuales con Sergio.

Por otro lado, para mí Gloria era una persona preciosa y trabajadora, la admiraba y ansiaba ser como ella, así que me sentía como aturdida por la presión. No me gustaría que se enojaran otra vez conmigo y me obligaran a pasar más días aislada y sin poder comer porque eso me hacía sentir muy mal.

Karina recuerda en el juzgado cómo fue presionada para tener relaciones sexuales con Sergio: "Al paso de los días se fueron dando acercamientos cada vez más fuertes, sin llegar a tener una relación sexual. Ésta no se consumó porque no me sentía bien y le mostraba mi rechazo. Sin embargo, cada vez me sentía más presionada, sobre todo porque Mary y Gloria supuestamente ya se habían enterado de que estaba saliendo con él y estaban muy contentas y no quitaban el dedo del renglón en sus intenciones de convencerme".

Entretanto, seguía sin comunicarme con mi familia tan a menudo como me hubiera gustado.

Pasamos muchas noches sin dormir —explica la madre de Karina—. Desde la partida de mi pequeña, la angustia y la tristeza no se apartaban de mí. No podía acostumbrarme a su ausencia.

La noche que viajó a la Ciudad de México casi me dio un infarto, el cuerpo me ardía, no dejaba de llorar y sentía que me iba a morir si mi hija no estaba conmigo.

Todos los días esperaba que me llamara; de hecho, procuraba no salir mucho por si sonaba el teléfono, aunque por lo regular se comunicaba una vez a la semana. Escuchar su voz me alegraba y al instante desaparecía cualquier angustia o preocupación.

Hubo días en que Miguel y yo pasamos horas marcando el número que me dieron, el de la casa donde se suponía que vivía Karina. Casi nunca contestaban y cuando lo hacían me colgaban. Era desesperante, pero me explicaron que no siempre estaban ahí, ya que tenían mucho trabajo e iban de un lugar a otro.

En una ocasión que puedo calificar como ¡tenebrosa!, al concluir la presentación de Gloria en el Auditorio Nacional fuimos a cenar a una taquería; a Sergio no le gustó la comida y estaba como enojado. Mientras cenábamos, Claudia le volvió a decir mentiras sobre mí. Según ella, durante el show estuve mirando al señor Nicolás Mateos, jefe del equipo de seguridad. A causa de esa gran mentira se molestó conmigo y desde mi llegada a la habitación del hotel se me dejó incomunicada; no podía hablar prácticamente con nadie. Me sentía muy mal y aunque llorara nadie me hacía caso.

Hablé con Gloria y Mary para que me ayudaran, pero siempre me contestaban lo mismo: que Sergio estaba decepcionado por las cosas que Claudia le había comentado y porque no quería tener relaciones sexuales con él.

No comprendía por qué se enojaba tanto, me asustaba y no sabía cómo reaccionar.

Continúa la madre de Karina: Mi niña seguía llamándonos una vez a la semana; no era suficiente, deseaba tanto que volviera.

En una ocasión en que se comunicó, hablé primero con María Raquenel Portillo para pedirle que Kari regresara a casa, pero ella me dijo que mi niña estaba aprendiendo mucho y se veía muy contenta; hasta le compraron vestuario pues le darían su primera oportunidad durante una presentación de Gloria en Cuernavaca.

Después hablé con mi chiquita; se me partió el alma: estaba llorando porque no quería regresar. "Es una buena oportunidad, mamá, por favor, déjeme seguir", me dijo un poco nerviosa y alterada. No pude negarme.

Sabía cuán importante era que creciera y madurara. Trataba de convencerme de que ésa sería una buena experiencia, ya que no es nada fácil presentarse ante tanta gente.

Ese año por primera vez no estuve con mi familia en Navidad ni Año Nuevo. A pesar de tener un problema con Sergio, me permitió cenar con ellos en Navidad. Pero no era lo mismo; extrañaba mi casa, donde siempre lo festejábamos en grande. Estaba consciente de que si lo comentaba, podrían molestarse conmigo y dejarme otra vez sin comer o encerrada. "Ay, no, ¡qué horror! Ni modo, para lograr lo que uno anhela es necesario hacer algunos sacrificios; además, tengo mucho miedo de que Sergio pueda molestarse", pensaba.

Me contaron que Sofía, la pequeñita que vivía en la casa, era sobrina de Gabriela Holguín; tenía cuatro años, era muy bonita y muy lista: sabía todas las capitales del mundo, sumar, restar, multiplicar y dividir. Según me dijeron, la hermana de Gabriela era madre soltera y no quería a Sofía; Gloria decía que le gustaría adoptarla.

Un día Sergio nos dijo a Katia, Marlene, Gabriela, Natalí, Claudia y Sonia que nos sentáramos en el piso para enseñarnos algunas cosas de música. No eran clases como yo las imaginaba y como lo habían prometido: algo estable y en grupo, con los mejores maestros.

Mandó comprar varios instrumentos musicales. A las únicas que nos asignó uno en especial fue a Katia —el bajo— y a mí —el piano—, pues éramos las que más entendíamos sus clases; las demás como que no. Gloria, por su parte, no ponía mucha atención o se iba a prepararle la comida a Sergio, y Sofía era muy pequeña.

Después de varios días la disciplina era cada vez más dura, y Sergio más estricto que nunca. Me dijo que sacara una pieza, *Feelings*. El primer día me indicó que me dedicara a tocar el piano y que al rato me llamarían para comer. Cuál no sería mi sorpresa al ver que pasaban las horas y nadie venía, por lo que me quedé con el estómago vacío. Ellos estaban en una oficina pequeña atrás del cuarto de máquinas de la alberca, acomodando documentos importantes.

Tardé una semana en sacar la canción, y eso que estudiaba todo el día; sólo descansaba para ir al baño, para comer y dormir. Lo único que hacía era estudiar.

En enero de 1995 viví el día más horrible de mi existencia, peor que todos los anteriores. Me sentía muy mal, no tenía con quién hablar y, obviamente, mucho menos podía contarle nada de eso a mis padres. Era impensable y a la vez imposible. Ni siquiera sabía —era algo tan inmoral— cómo podría decírselos.

Según dije, había aprendido a ver a Sergio como a un amigo y a tenerle cariño; en esos momentos hubiera dado cualquier cosa por no volver a verlo. Lo que me pasó era insoportable: tuve mi primera relación sexual y fue con él. No me era posible asimilarlo, no entendía cómo pudo pasar. Cuando él empezó a tocarme y a quitarme la ropa, quedé totalmente petrificada, en *shock*, sentía que el cuerpo entero me hormigueaba; no podía moverme ni hablar. Mi corazón parecía haber caído hasta mis pies y cuando Sergio por fin logró penetrarme, fue la cosa más horrible y asquerosa que jamás hubiera imaginado. Sufrí un gran dolor físico y emocional.

¡Eso era lo que Gloria y Mary describían como maravilloso y como la semilla del amor...! A mí no me lo pareció en absoluto.

Dios mío, ¡si era una niña; tantas ilusiones que tenía de casarme de blanco, por la Iglesia, con el vestido de mi mamá! Esa noche, para mí, mi vida y todos mis sentimientos se fueron por la borda...

No tenía ganas de nada. Desesperada, pensaba que lo que debía hacer era irme a mi casa pero no sabía cómo hacerlo, estaba segura de que Mary y Gloria apoyarían a Sergio y no me lo permitirían. Vivía atemorizada, intuyendo que eso podía volverme a pasar.

Después de tener un problema con Sergio, Mary me dijo que le escribiera para disculparme. En otras ocasiones ella y Gloria me habían aconsejado que le mandara cartas a él para darle ánimos y para hacerlo sentir bien, pues había sufrido mucho y necesitaba percibir que en realidad existían personas buenas. Hice la carta y antes de firmarla, le aseguré que lo quería mucho para que viera que sí había gente que lo apreciaba.

Esa vez Mary regresó horas más tarde con la carta y me dijo que Sergio estaba muy molesto, que las cosas no eran como yo quería y que era una estúpida por escribirle antes de la firma "Te quiero mucho" y no "Te amo", como a él le complace. A partir de ese momento me propuse terminar mis cartas con ese mensaje, con tal de que no me fuera peor.

En mis primeras cartas solía decirle que era un ser maravilloso, lindísimo y tierno; que en mí podía encontrar una verdadera amiga; que nunca le haría las cosas malas que le habían hecho; que él tenía que superarlo todo; que estaba segura de que sería feliz. Todo según el criterio de una niña de doce años que intentaba "levantar la autoestima de un ser supuestamente desdichado".

Más o menos a finales de enero o principios de febrero de 1995 Sergio comenzó a dictarle a Mary una historia que yo pensaba sería la próxima película de Gloria. Hablaba de gangsters, de una abuelita y de alguien llamada "La Greñas". Pasó todo el día dictando. Fuera lo que fuera, no cabía duda de que era bastante inteligente e imaginativo.

A veces escuchaba golpes como de la pizarra que se usa en el cine y gritos de Gloria. "Tal vez están ensayando para la película que van a hacer: *Una papa sin catsup*", pensaba. Lo que me llamaba la atención era que Gloria salía del cuarto de Sergio con los ojos llenos de lágrimas. Me parecía muy extraño.

"¡Dios mío, ayúdame, por favor! Esta situación es espantosa y tétrica", eran pensamientos angustiosos y recurrentes. Me temblaban las manos y tenía mucho miedo, hambre y frío. ¿Por qué se enojaba tanto Sergio?, si yo me empeñaba en hacer las cosas bien. Me hubiera gustado tanto que no volviera a molestarse conmigo.

Me pidió que montara la canción *If* ¡en un solo día! No pude hacerlo, quizás otra persona lo hubiera logrado; yo no, aunque en verdad lo intenté. Él se molestó mucho conmigo, estuvo a punto de

En cartelera
*Una papa
sin catsup*
acapara las
marquesi-
nas; pero
para
muchos no
tendrá el
éxito de las
anteriores
películas de
Gloria.
23 de julio
de 1995
Reforma

golpearme, se burló al verme tan asustada y me corrió de la Casa Rosa.

Mary y Gabriela me sacaron en el auto negro de Sergio. Estaba súper desconcertada, me sentía inepta, incapaz y muy pero muy mal. Mary se dio cuenta y le llamó por teléfono para que me diera otra oportunidad. Regresamos a la casa y esperé en la recámara de arriba, mientras ella, supongo, hablaba con él. (Más adelante me di cuenta de que todo era un teatro para hacerme sentir mal y seguir manipulándome.) Poco después subió Mary con instrucciones para mí: Sergio no quería verme por el momento; estaba muy molesto y por ello estaría varios días sin hablar con nadie, ni decir una sola palabra, ni abrir la boca, ni nada, hasta nuevo aviso. Tendría que obedecer todas las instrucciones que me dieran; no podría tocar el piano y debía permanecer en mi recámara o en el cuarto de la alacena, haciendo ejercicio o leyendo. Después me haría un examen sobre lo que hubiera leído. Únicamente comería lo que me dieran y no se me permitiría dormir ni levantarme hasta que me lo indicaran.

Esa misma noche, Claudia me llevó al cuarto de Sergio. Esperé. Al entrar me insultó como nunca lo había hecho. Me dijo que no me burlara de él; que si él me daba instrucciones de que montara una canción, tenía que hacerlo en el tiempo exacto que él me señalara. Si quería ir a mi casa, antes tendría que cuadrarme y hacer las cosas que él deseaba. Yo temblaba de terror. Enfurecido me preguntó por qué estaba ahí y qué era lo que quería; me autorizó a hablar y le contesté que deseaba demostrarle que podía hacer bien las cosas y arreglar los problemas. Mi cuerpo seguía temblando; deseaba que todo eso terminara, que se solucionara, pero no sabía cómo. Anhelaba irme pero no podía decírselo.

"Si me amas o me quieres mucho, debes saber lo que realmente es amar o querer mucho y no seguir comportándote como una niña", fueron sus palabras. Cómo me podía pedir eso sabiendo que él mismo me obligaba a manifestarle esas cosas.

Caminando de un lado a otro y sin dejar de mirarme, me dijo que había otra persona que en verdad lo amaba y que sabía que él salía conmigo. Pero que, dado el amor que le tenía, eso no le importaba.

Yo debía aceptar que él tuviera relaciones con otra persona, pues así le demostraría que lo amaba en realidad. No lo podía creer, todo me parecía tan confuso. Pensé que sólo me estaba poniendo a prueba, por eso le contesté que sí, que no me importaba. Mi intención era calmarlo y darle gusto. Creía que no era cierto lo que afirmaba, pero no fue así...

Como cada vez que piensa en ello, con un nudo en la garganta Karina narra en el juzgado su primera relación múltiple: "Sergio llamó a Marlene, quien apareció desnuda y comenzó a acariciarlo. Al principio no sabía qué hacer, pero él insistió y me acerqué y tuvo relaciones con las dos. Cuando todo terminó me dijo que eso no cambiaba nada, que seguía castigada y más valía que cumpliera sus instrucciones al pie de la letra. Estuve días encerrada en la alacena".

"Dios, ¿qué está pasando?, ¿por qué me trata así? Ojalá pudiera escapar, salir corriendo aunque no supiera en qué dirección, pero ni siquiera tengo fuerzas para estar de pie", me decía. Y es que casi no me daban de comer, dormía poco y vivía temerosa. Desde el momento en que Sergio se enojó conmigo estuve encerrada en la alacena. Sólo podía salir cuando me daban permiso.

Un día llegó, me observó unos segundos y, sin decir nada, se fue aporreando la puerta. Más tarde, regresó reclamándome que lo había mirado con odio. *Me dio permiso* para contestarle; yo le ofrecí disculpas y le supliqué que arregláramos el problema como él quisiera pero, para mis adentros, sólo deseaba que no me lastimara. De hecho, nunca imaginé que lo haría. Pensé que me diría: "Ya, te perdono". Él me preguntaba que cómo pretendía resolverlo. Fuimos a su cuarto y me advirtió que lo que haría era para que no lo volviera a ver con odio nunca, y que más me valía no hacer un escándalo; no tuve alternativa sino decirle que no lo haría de nuevo. Pensé que me golpearía con los puños o me daría una bofetada o una nalgada, pero nunca imaginé lo que hizo.

Primero me ordenó que me desnudara y me acostara boca abajo en la orilla de la cama, con la cabeza hundida en la almohada; no debía darme la vuelta para verlo. Escuché que movía algunas cosas junto al clóset de Gloria, como para buscar algo, y el miedo me hizo voltear, pero sólo logré que se enojara más. Hundí la cabeza en la almohada y comenzó a golpearme en la espalda y en los glúteos. Fueron como diez golpes. Con cada uno sentía un calor que iba en aumento y que me bajaba de la cabeza a los pies. No podía imaginar con qué me golpeaba; después vi que era el cable de una pinza para el cabello. Tenía ganas de llorar pero como me lo había prohibido, me aguanté mordiéndome los labios; estuve temblando todo el tiempo y el dolor era insoportable.

Cuando terminó le pedí perdón; él encendió la televisión y me permitió ir al baño. Al mirarme al espejo descubrí que mi espalda estaba totalmente marcada por el cable. Luego volví a la alacena. Nunca podré olvidar ese momento.

Recuerdo que, cuando se presentaba alguna dificultad con Sergio, también tenía que escribir otro tipo de carta, en la que debía poner cosas como: "Perdón, por favor, cómo puedo arreglar el problema, por favor, si quieres a golpes o como tú desees, por favor; yo soy tuya, me puedes hacer lo que quieras y destrozarme, pero no quiero verte enojado, por favor. Sé que yo tengo la culpa de todo, que soy una tonta y deseo resolver las cosas, por favor". Todas le escribíamos estas cartas. Era una especie de reglamento.

Pasado un tiempo de estar en el grupo, ya habiendo sido sometida a castigos de diferente tipo, había ocasiones en que mi mente me exigía gritar,

En 1995 se lanza la quinta producción de Gloria Trevi: *Si me llevas contigo*, la cual no gozó de la aprobación del público. 26 de mayo de 2000 Cronología en *Reforma (deperiodist@s)*

pero no tenía fuerzas ni para eso; además, sabía que no serviría de nada, que nadie me escucharía. Estaba sola, extrañaba a mis papás pero no podía recurrir a ellos.

Aunque entonces mi vida había comenzado a parecerme un infierno, lo peor era que, según yo, no había manera de escapar. Sergio me mantenía vigilada y cualquier error que cometiera, aun cuando él no estuviera presente, era reportado por la que me estuviera observando. Siempre se enteraba de todo; me aterrorizaba pensar en intentar huir; creía que si me atrapaban, me golpearía hasta matarme. Se establecía entre nosotras un control adicional al suyo. Con tal de no ser castigadas nos delatábamos entre nosotras.

Una vez, Sergio nos castigó a Marlene, Claudia y a mí. Primero entró Marlene a su cuarto y se escuchaba el horrible sonido del cable al chocar con su piel. Después entró Claudia y sucedió lo mismo. Para mí, era una verdadera tortura anticipar lo que sabía me sucedería en unos minutos. Cuando entré, le dije que perdón, por favor, y cómo podía arreglar el problema. Me contestó que me desvistiera y, cable en mano, me hizo una seña para que me recostara en la cama. Yo agarré la almohada y hundí la cabeza en ella, pero él se enojó y me gritó que parecía una primeriza en eso, que le hiciera el maldito favor de dejar la almohada a un lado y aguantarme como las verdaderas mujeres.

Al concluir regresaron Marlene y Claudia y empezamos a tener relaciones sexuales. Yo veía a Sergio sentado mientras una tomaba su pene y lo masturbaba, introduciéndolo a la vez en su boca. Él primero penetraba a una, después a otra y por último a mí, besando a la vez a una de nosotras, mientras otra lo acariciaba. Todas estas experiencias han sido traumáticas, cuando estaba ahí me daban ganas de vomitar.

La primera vez que participé en una relación sexual en la que estuvieron presentes Claudia y Natalí (Wendy y Edith), fue en la Casa Rosa. Él estaba sentado en medio de las tres, en el sillón grande de la sala. Introducía los dedos de su mano izquierda en la vagina de una, con su mano derecha tocaba mis senos y al mismo tiempo penetraba a otra.

Me llamó la atención que de repente nos soltó a dos de nosotras y empujó fuertemente a otra hacia sí, yo creo que porque estaba muy excitado. Después se molestó porque ella no lo satisfizo como él quería; aparentemente algo hizo mal, no sé si se puso rígida o qué. El caso es que a mí me corrió a la cocina, de vuelta a la alacena. Más tarde entró Claudia a sacar dos Coca-Colas de una caja y se las llevó a Sergio. Aunque en ese momento no lo sabía, eran para hacerles un lavado vaginal cuyo propósito era evitar que se embarazaran.

Ya que me permitieron salir de la alacena, seguí sintiéndome mal porque no podía hablar con nadie

Lucero prefiere no opinar sobre Gloria; sin embargo, declara: "No me gustan los artistas que no respetan al público. No se vale cantar groserías que los niños aprenden... Estos oportunistas quieren impactar con sus manías". 19 de octubre de 1995 *TVynovelas*

y sólo me autorizaron a dejar de tocar dos veces al día, por espacio de diez minutos, para ir al baño corriendo y comer el asqueroso arroz con sardinas que me daban casi a diario y que tanto llegó a fastidiarme. Cómo ansiaba poder ver a mi familia, ir al mandado con mi mamá, ver la tele o tener un momento de tranquilidad. Se me antojaba comer un sandwich, una milanesa o cualquier otra cosa de las que me preparaba mi mamá.

Además de las canciones anteriores ahora tenía que sacar canciones de Gloria, estudiando como mínimo dieciséis horas sin parar.

En ciertas ocasiones me parecía que Gloria tampoco era muy feliz. Un día, por ejemplo, salió de la recámara de Sergio, se acercó a mí con lágrimas en los ojos y me pidió que le prometiera que nunca haría lo mismo que ella. Como estaba castigada y no podía hablar con nadie, apenas pude asentir. (Con el tiempo, y conociendo a Sergio, comprendí que ella le había dicho que se quería ir, que no soportaba más.)

Varias veces los vi o escuché discutir. Gloria sólo lloraba sin decir nada, mientras él gritaba todo el tiempo. En varias ocasiones él empezaba a reclamarle cosas a Gloria —quien era rebelde y a veces se enfrentaba con él desobedeciendo sus órdenes—, y nos mandaba a todas las presentes al segundo piso, a alguna recámara. Ellos se quedaban en la sala y se escuchaban los gritos de él y el llanto de ella. Luego gritaba: "¡Gabriela!".... (supongo que la llamaba para vigilar a Gloria) y se oía que azotaba la puerta del comedor. Unas seis o siete horas más tarde, alguien nos avisaba que ya podíamos bajar. Otras veces no podíamos hacerlo hasta el día siguiente.

"Debo portarme bien, no debo decir mentiras, debo obedecer a Sergio en todo lo que me diga, tengo que estudiar mucho y hacer las cosas exactamente como él me las pida. No debo olvidar esto porque si no, Sergio me castigará y no quiero ni puedo irme pues Sergio me encontraría, aunque intentara esconderme", solía decirme desesperada.

Un día acompañé a Sergio y a Gloria a la Ciudad de México a una comida con un señor de nombre Jean Pierre Leleu, que creo era vicepresidente de Televicine. También vino con nosotros Sofía.

Antes de llegar me ordenaron que dijera que era prima de Gloria y Sofía mi hermanita. No debía mirar a ningún hombre ni hablar con nadie, a menos que alguien se dirigiera a mí; entonces podría responder, pero de manera cortante.

Al salir de la comida, mientras esperábamos el auto, el señor con el que comimos llevó a Sofía a una librería y le compró dos cuentos con casete, uno de Bambi y el otro de la Cenicienta. Sergio me dio instrucciones precisas e inmediatas de que fuera por ella sin llamar mucho la atención, y así lo hice.

De regreso en Cuernavaca pasó algo terrible que nunca había visto: Sergio golpeó a Sofía con puñetazos en la cara y en el cuerpo. Cada vez que ella caía, él le ordenaba que se levantara para volverla a agredir hasta que le sangró la boca; tenía moretones por todas partes. Pobrecita niña, era tan chiquita. Qué terrible, no pude hacer nada. "Dios cuide de mí y de Sofía, que tan sólo tiene cuatro años", oré.

Cuando Sergio reaccionó y se dio cuenta de que yo estaba presente, se tranquilizó; me dijo que no me asustara, que era por el bien de la niña; que Sofía era muy escandalosa y por cualquier cosa sangraba. Todo su cuerpecito estaba lleno de cicatrices. Pero si yo no era capaz de defenderme, ¿qué podía hacer por ella?

En un día importante para mí debuté como la tecladista del grupo de Gloria Trevi. Mi primera presentación fue el Día del Niño. El show se realizó en el Centro de Espectáculos del Río Nilo de la ciudad de Guadalajara y asistió mucha gente. Se los conté a mis papás y me dijeron que estaban muy orgullosos de mí. "Por eso —me dije— tengo que ser fuerte, Dios me ayudará."

Durante varias semanas me trasladé con Katia a la casa de José María Iglesias en la capital. Ahí estudiamos y ensayamos las canciones de Gloria. No debíamos separarnos y Katia le entregaba a Sergio un informe detallado de todo lo que sucedía en el día, incluyendo las horas de llegada y salida de los lugares. Eso me obligaba a cumplir todas las órdenes: si Sergio se enteraba de que no lo hacía, se enojaría y me castigaría.

Antes de una presentación que tendríamos en la feria de Azcapotzalco en la Ciudad de México, Sergio me ordenó que desarmara un piano blanco en diez minutos. Pero el tiempo se cumplió y no podía sacar los tornillos porque estaban gastados. Él me presionaba con señas cada vez que se asomaba y yo, sabiendo que cada minuto que pasara me iría peor, me desesperé, empecé a lloriquear y es que por el pavor no pensaba con claridad en esos momentos.

Katia me dijo que no llorara porque ahí estaba Liliana Soledad Regueiro, quien era nueva en el grupo, y no debía darse cuenta de lo que pasaba. No le hice caso pues no podía parar de llorar, hasta que llegó Sergio y me envió a un cuarto. Mary terminó el trabajo.

Más tarde Sergio entró al cuarto y me dijo que cuando alguien me diera una instrucción debía seguirla en el momento, aunque fuera lo último que hiciera. Empezó a golpearme fuertemente con los puños en la cara, en el pecho y en los brazos, mientras yo le decía: "Perdón, por favor, como tú quieras, cómo puedo arreglar el problema, por favor..." Me ordenó que le ofreciera disculpas a Katia

Durante 1995, el contrato de exclusividad de Gloria Trevi con Televisa llegó a su fin, y aunque su representante Sergio Andrade sostuvo negociaciones no se llegó a un nuevo acuerdo. 16 de diciembre de 1999 Cronología en *La Jornada*

71

y después me mandó a lavarme la cara y cubrirme con maquillaje las marcas.

Cuando estábamos a punto de salir para la presentación, Sergio nos ordenó ir en la panel a la Casa Rosa, entrar al cuarto donde estaban las cosas de Gloria y tomar lo que necesitáramos para nuestro vestuario, todo en cinco minutos. Mary debía partir al concluir ese tiempo con quienes estuvieran listas. Otra vez no pude hacerlo por los nervios. Mary se fue sin importarle quién se quedaba y Sergio se molestó muchísimo. Me dolía la panza de sólo pensar en el castigo.

Esa noche no concilié el sueño; estaba muy inquieta porque sabía que al día siguiente me castigarían. Pensaba: "Ojalá se le olvide. Dios mío, quiero morirme, ya no soporto este martirio. Si nunca voy a poder salir de aquí, por favor no me dejes seguir sufriendo".

Por la mañana Sergio llegó al estudio de grabación, donde yo estaba tocando el piano. Al verme me ordenó que escribiera cada uno de los errores que había cometido el día anterior, para que no volviera a desobedecerlo. Sentí que mi corazón se paralizaba, que me desmayaría; entraba en pánico al saber que después me golpearía.

El error más grave fue no haber obedecido a Katia, quien, como en otras ocasiones, me reportó. Sergio me llevó a la cabina y me preparó para el castigo. Desnuda, boca abajo sobre un banco, esperé a que cerrara con llave todas las puertas. Él se quitó el cinturón y comenzó a golpearme; no soportaba el dolor, era demasiado y empecé a moverme y a sollozar. Se enfureció más y más y dijo que me golpearía hasta que dejara de moverme y no hiciera ningún ruido. Cuando por fin pude quedarme quieta como él quería, terminó el castigo.

Me dolió sobremanera porque después estuve sentada tocando el piano y mi pantalón se adhirió a las heridas que me hizo con la hebilla del cinturón. No podía despegarlo ni para ir al baño porque me lastimaba.

"¿Hasta cuándo podré resistir? —me decía—. Quiero ver a mi mamá, hoy fue su cumpleaños y ni se imagina lo que me acaba de pasar. Deseo tanto estar con mi familia otra vez, ya va a ser un año que no los veo."

Días después volví a la Casa Rosa para una sesión de fotografías en traje de baño que nos tomó Sergio. Marlene maquilló las marcas de los golpes en mi cuerpo para disimular ante la cámara. Ignoraba para qué eran las fotos. También estuvo posando una chica nueva de nombre Guadalupe Carrasco, era la primera vez que la veía. Pero a mí lo único que me importaba era saber cuándo vería a mis papás. Los extrañaba hasta el infinito; lloraba todas las noches en silencio y me dolía mucho todo el cuerpo... y ahora me doy cuenta de que me dolía el alma.

Al día siguiente hubo una segunda sesión de fotos en la Casa Blanca, durante la cual me sentí algo

De manera independiente, Sergio Andrade produce un programa especial sobre la realización del "Trevi Calendario 95", y lo lleva a TV Azteca, desde donde se transmite los días 4 y 5 de noviembre de 1995. 16 de diciembre de 1999 Cronología en *La Jornada*

mareada ya que, como de costumbre, no habíamos comido bien. En esa ocasión Sergio también le tomó fotografías a Gloria las cuales, según escuché, eran para su nuevo calendario.

En esa época hubo días en que lo único que había para comer en la Casa Blanca eran unas tortillas que Mary dejó escondidas en un mueble dentro de una bolsa. Claro, ya estaban echadas a perder pero gracias a Dios una de las muchachas las encontró y las sacó. Con ellas pudimos resistir.

Cuando me dijeron que iba a ir a mi casa, que por fin vería a mis padres, ¡casi me moría de la emoción! Pensé que podría intentar contarles algo de lo que me pasaba, pero sería difícil porque Mary iría conmigo con la orden de no separarse de mí por ningún motivo. Aun así, ¡ardía en deseos de abrazarlos!

En la tarde del 25 de noviembre de 1995 llegamos a mi casa. Pese a la alegría que sentí al ver a mis padres, sufrí por no poder contarles nada; me invadía el miedo porque Mary estaba siempre conmigo. Además, sabía que la salud de mi madre no era buena. Antes de viajar, Sergio me puso a estudiar mucho para que mis papás creyeran que realmente tomaba clases todos los días, como ellos les decían.

Debía portarme como me dijo él; así no me castigaría. Me sentía muy incómoda, ya que cada vez que algún hombre de mi familia me abrazaba, Mary clavaba su mirada en mí y tenía que apartarme de inmediato, sin ser muy obvia. Sergio me prohibió saludar o hablar con cualquier hombre, incluidos los de mi familia; sólo me estaba permitido contestar, y en forma despectiva, a lo que me preguntaran, excepto a mi papá para algunas cuestiones. (Lo mismo sucedía en las actuaciones: no podía dirigir la palabra a los técnicos de audio o de iluminación, a menos que él me lo indicara.)

Temprano al día siguiente volvimos a la Ciudad de México; teníamos una presentación en el Palacio de los Deportes. "Pero yo no quisiera irme. Ojalá pueda volver pronto y quedarme aquí con mi familia", pensaba.

Karina nos dio una gran sorpresa —dice su madre—; llegó con María Raquenel sin previo aviso. Hacía un año que no la veíamos; había crecido mucho nuestra pequeña, ya era una mujercita. Tenía su carita llena de acné y aunque me dijo que ya se estaba tratando, le di unas lociones y cremas para que no le quedaran marcas.

Mi marido y yo notamos un cambio en su comportamiento: se mostraba menos cariñosa, casi no sonreía, era parca en sus comentarios y prácticamente no habló con su hermano; supusimos que se debía a la adolescencia. Insistimos en preguntarle si estaba contenta, si se sentía bien, pues adelgazó mucho. Me dieron ganas de llorar al verla tan flaquita, pero ella afirmó que estaba bien, que hacía mucho ejercicio y estudiaba mucho.

Vino toda la familia, hicimos una tamalada y Karina tocó el piano. Todos estábamos impresionados de lo bien que interpretó a varios compositores. Pudimos constatar que iba muy bien en sus clases y que había aprendido mucho.

El 14 de noviembre de 1995, Gloria Trevi solicita a TV Azteca una prórroga para entregar los primeros capítulos de la telenovela programados para el 9 de noviembre. La fecha se posterga para el 30. 30 de marzo de 2000 Cronología en *La Jornada*

No fue posible hablar en privado con ella; todo el tiempo estaba Mary a su lado, hubiera sido de mala educación pedirle que nos dejara a solas. Mary era una chica muy simpática, dulce, y la sentía como una hija más.

A mi llegada de Chihuahua tuve un fuerte problema con Sergio. Se enojó en serio porque traje cosas de mi casa, y me quitaron todo. Me gritó que era una materialista, una perversa, una desgraciada, que era igualita a Aline Hernández. De inmediato me mandó castigada a la Casa de la Esquina, a pesar de que ese día era su cumpleaños, de que Gloria prepararía algo especial y por esa razón yo le llevé dos pasteles de Chihuahua. Cuando se disgustaba tanto como en esa ocasión, me aterrorizaba, pues hasta temblaba del coraje.

La Navidad y el Año Nuevo fueron como cualquier otro día, al igual que mi cumpleaños. En Navidad estuve sola estudiando en la Casa de la Esquina, pensando en lo que estaría haciendo mi familia en Chihuahua. En Año Nuevo por lo menos estuve con Guadalupe Carrasco. Vimos dos películas: *El último emperador* y *El profesional*, que Sergio le envió a ella y a mí me dio permiso de ver.

Otra de esas ocasiones que quisiera algún día poder olvidar es cuando al estar estudiando en la Casa de la Esquina llegó Sergio y me ordenó bañarme porque me iba a castigar. Eso significaba que después

76

del castigo tendría relaciones sexuales con él y con las muchachas que él decidiera.

En el cuarto donde estaba el baño se encontraba Tamara Zúñiga, recientemente integrada al grupo, y cuando salí envuelta en una toalla para dirigirme al estudio de grabación, donde me golpearía, Sergio se molestó mucho y me ordenó vestirme, pues Tamara no debía sospechar lo que sucedía. Al volver me regañó tan feo que me dio un shock y, aunque no perdí la conciencia, me quedé sin fuerzas para sostenerme. Sentía que el cuerpo me hormigueaba, mientras él me decía: "Ándale, que se te ocurra desmayarte y vas a ver". Katia fue por alcohol y agua; esto sirvió para tranquilizarme un poco. Lo único que pensaba en ese instante era que se llevara a cabo el castigo lo más rápido posible, para ya no sentir ese tremendo miedo.

Nada lo detenía, ni siquiera el que estuviera a punto de desmayarme, pues desnuda sobre una mesa de centro me golpeó con cuatro cables delgados y doblados; luego tuvo relaciones sexuales con Katia y conmigo.

En una ocasión, estando en la Casa de la Esquina, Tamara me prestó un pantalón negro de mezclilla. Después Katia me dio una carta para entregarle a Sergio, pues yo tenía que ir a la Casa Rosa, donde él se encontraba. En esa carta Katia mencionaba los golpes y las relaciones sexuales, asuntos acerca de los cuales Tamara no debía enterarse. Al lle-

En diciembre Gloria aparece en dos programas de TV Azteca haciendo promoción a su disco y su calendario.
30 de marzo de 2000
Cronología en *La Jornada*

El 13 de marzo de 1996, en el hotel Marquís de la Ciudad de México, Gloria declaró: "Me retiro de los escenarios". Nadie sabía entonces de los acuerdos entre ella, Sergio Andrade y TV Azteca. 30 de marzo de 1999 Cronología en *La Jornada*

gar olvidé darle la carta y la dejé en el pantalón; cuando se lo devolví a Tamara, ella la encontró. Esto me ocasionó un severo problema con Sergio y un castigo físico.

En marzo de 1996 Gloria se presentó en el Auditorio Nacional y anunció que ésos serían sus últimos conciertos porque Sergio Andrade, su representante, se encontraba gravemente enfermo de cáncer e incluso estaba internado en Estados Unidos. Por tal razón, ella ofrecía a la Virgen de Guadalupe y a Dios su retiro para que le concediera el milagro de que recuperara la salud. Logró conmover al público con sus lágrimas, pero en realidad Sergio se encontraba tras el escenario, bueno, regordete, sano (y muerto, pero de la risa), tanto que a cada rato nos golpeaba... y vaya que bastante duro.

El 2 de abril nos trasladamos de Cuernavaca a Playa Blanca, Zihuatanejo, donde Sergio recién comprara una casa a un señor de apellido Porter, por medio y a nombre de Wendy Castelo (quien antes pensaba que se llamaba Claudia). Días antes, en Cuernavaca, Sergio, en un arranque de su paranoico comportamiento, puso a algunas personas a revisar documentos que se encontraban en cada una de las casas, para romper y quemar todo aquello que pudiera ser una prueba en su contra o comprometerlo en situaciones no lícitas; entre muchas otras cosas, estaban las fotografías de Aline.

Aunque el terror a veces no me dejaba dormir, en otras ocasiones lograba sentirme un poco más tranquila.

En una ocasión platicamos Natalí, Marlene, Katia y yo sobre lo difícil que resultaba soportar los castigos; nos lamentamos mutuamente, incluso con Mary. Katia se mostró muy preocupada porque no quería que Sergio trajera a su hermana Karola, pues era sólo una niña y no creía que soportara la vida que llevábamos. Decía que era muy bella y que estudiaba en una de las mejores escuelas de Puebla, el Instituto Oriente.

En Playa Blanca yo estaba encargada de hacer trabajos de jardinería, limpiar la casa, lavar la ropa y los trastes. El calor era intenso y sólo podía tomar agua cuando me la daban. Además, usar ropa de color negro hacía que el sol me quemara más, pero ni modo, Sergio dio instrucciones de que todos los días anduviéramos así y con una gorra en la cabeza.

Los primeros días después de nuestra llegada, Sergio nos ordenó a Marlene y a mí que limpiáramos a la perfección el cuarto de servicio y que laváramos incluso las paredes y el piso con jabón hasta que quedaran como un espejo. Luego tuvimos que pintar todo de blanco y acomodar las cosas que él nos indicara. Fueron días muy pesados pues en un principio el lugar estaba hecho un asco.

Karina enfrentó uno de los momentos más difíciles de su declaración: al recordar públicamente cómo fueron sus ex-

79

periencias sexuales con Sergio Andrade y las demás integrantes del grupo: "En varias ocasiones se dieron relaciones sexuales múltiples, principalmente con Marlene. También hubo relaciones extrañas: Sergio nos pedía que tuviéramos contacto físico entre nosotras; teníamos que darnos besos en los labios y tocarnos las partes íntimas, tanto con las manos como con la boca. En ese año, 1996, hubo relaciones sexuales múltiples entre Sergio, Liliana Regueiro y, por primera vez, Karla y Katia de la Cuesta (durante el tiempo que permanecí con el grupo, en este tipo de intercambios participamos, en distintas ocasiones, Wendy, Marlene, Katia, Karola, Karla, Edith, Sonia, Liliana, Gloria, Gabriela y yo)".

Un día Sergio me dijo que a partir de ese momento estudiara el piano sin parar hasta nuevo aviso en la casa rodante. (Este vehículo, según se comentaba, lo compraron para la filmación de la película *Zapatos viejos* y posteriormente estuvo mucho tiempo en desuso en el terreno contiguo a la Casa Rosa. Sergio lo manejó desde Cuernavaca hasta Playa Blanca y se quedó estacionado en el jardín de la casa.) Ahí dormíamos algunas de las castigadas. Tenía que sacar varias canciones como *"Bridge Over Troubled Water"*, entre otras. El calor era francamente insoportable.

Esa noche entraron a la casa rodante Sonia, Katia, Marlene y Guadalupe, y alguien que no recuerdo me dio mi plato para cenar. Cuando recién comencé a ingerir los alimentos, Gabriela abrió la puerta de malla y me dijo que fuera un momento.

Mis papás el día de su boda.

"La nueva reina del hogar" (yo a unos meses de nacida).

En mi recámara
vestida como mi
artista preferida.

Ésta es la fotografía que se publicó en la revista de Gloria. De izquierda a derecha,
mi prima Adriana, Gloria y yo. Abajo, mi hermano.

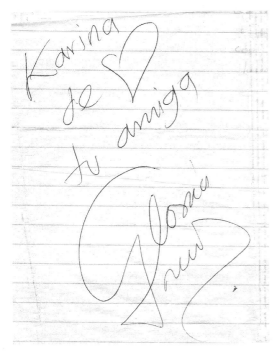

El más antiguo autógrafo que conservo de Gloria.

Autógrafo del 8 de octubre de1994.

Sergio:

Mi amor te he extrañado muchísimo te adoro
y te agradesco muchísimo esta oportunidad de ayudarte
y quiero decirte que si yo antes hestaba segura de no
poder vivir sin ti y de querer cada vez hacer mejor las cosas para
poder estar contigo lo mejor posible, ahora despues de
ver a Nerea en su casa, con su familia, con sus amigas,
su novio, su libertad para hacer lo que ella quiera he ir
a donde quiera etc. me doy cuenta que definitivamente
no nadamas no puedo vivir sin ti sino que aparte de
todo no quiero no lo entiendo, no lo consivo. y
no le encuentro el mas minimo chiste. es definitivamente una "linda" vida para mediocres
no ai nada en ese tipo de vida que yo quisiera tener
NADA ¡como te necesito! ¡Como te extraño!
yo creo en la magia porque la magia
eres tu y creo en la rencarnacion
por que tu has estado en mis vidas
pasadas y en mis vidas futuras
tambien estaras y creo en
Dios porque tu eres su maxima
creacion

Ésta ves lo lograre para siempre

Gloria Trevino?

★ Aburrida, Estupida, etc.

Copia de una carta sin fecha de Gloria Trevi a Sergio Andrade, en la que da a
entender que ella compartía sus ideas.

9/06/93

Sergio

Perdoname porfavor y como tu quieras, yo no queria esto
a traves, como tu quieras si hize eso no fue por mal ni por
probar si si me dejabas, sabia que si lo hacia pues ya dos
veses te habia dicho que me ibas ha correr, porque ya una
vez me paso, te juro por dios que no me di cuenta
cuando te di el beso crei que te estaba dando en cualquier
otro lado, cuando te lo iba ha dar tal vez en ese momento
cerre los ojos no queria dartelo ahi te juro que no me di
cuenta se que nada esto te importa porque lo que hize fue
desobedecerte perdoname porfavor, se que me va ha costar
mucho, no tengo perdon de Dios pues lo que acababamos
de hablar, quiero pagartelo como sea porfavor castigame
haz lo que quieras desquitate hasta que te canses, destro
zame si quieres pero porfavor dame otra oportunidad
meresco que me hagas lo peor, se que te ries de todo
esto de perdirte otra oportunidad! pues tipenas salgo
de un problema y entro en otro y cometo los mismos erro
res, te juro que yo misma no lo entiendo, bueno si entiend
porque soy idiota pero como puede ser exajeradamente
idiota, siempre hago las cosas mal, pero siempre
he querido arreglar los problemas he querido salir adelant
aunque por unos momentos me he hechado para tras de
ahi en fuera he querido hacer las cosas bien, y hoy
mas que nunca pues ya he cometido demasiado errores
los quiero hacer, quisiera arreglar los problemas porfavor
quisiera hablar contigo, pero tengo miedo de desirto talves
hago mal en no desirlo pedir, quisiera saber si lo puedo
desir, estoy haciendo lo que me pediste cuando me
habias dado la oportunidad, esperar hasta que tu
me llames, no pararme enfrente de ti, y no desirte
que quiero hablar contigo, quisiera saber si estoy
haciendo bien, porfavor, pues estoy muy escamada, no
quiero hechar ha perder mas de lo que estan las cosas

Copia de la carta de Marlene a Sergio, fechada en junio de 1993, donde lo ensalza
de la manera acostumbrada por las integrantes del grupo.

es pareso que te escribas que quisiera hablar contigo porfavor
Perdoname, ¿como puedo arreglar el problema?
Esperare hasta que tu quieras te voy hademostrar
que si estan, difisiles las cosas si aguanto.
Te Amo mi amor y te juro que yo siempre
he querido hacer las cosas bien.
Clara que no me gusta que me trates asi es
muy Feo Soy una basura y me lo meresco,
y que le hacemos hacer.

PERDONAME TE LO RUEGO, castigame
todo lo que quieras, porfavor dame otra oportunidad.

como tu quieras ya estoy Consiente de que no
no es nada Fasil otra oportunidad yo quiero.
Salir adelante y lograr algun dia tu perdon

Te aДoro
mucho

grasias por
todo como iba
ha querer dejar de estar
contigo esa noche si me
meria desde hace tiempo
por eso.

PERDONAME grasias
por dejarme comer
contigo y lear la carta

TE Ama
Siempre
Marlene

P.D. porfavor ¿estoy hasiendo bien? y si no perdon ¿que es
lo que devo hacer?

Fotografía tomada el 8 de octubre de 1994, cuando fui invitada a entrar al grupo de Gloria. De izquierda a derecha, Mary, mi mamá, un miembro del club de fans, Gloria y yo.

Katia de la Cuesta, en México, el día de mi audición.

Mary, Gloria y yo después de que supuestamente había aprobado la audición.

La última fotografía que me tomé con una amiga. En esa misma semana partí para la Ciudad de México.

Un año después, en la primera visita a mi casa. Es evidente ya el contraste en mi rostro por el acné provocado por los nervios y los cambios hormonales derivados de una actividad sexual involuntaria y a destiempo.

Mary, en esa misma visita, fingiendo ser dulce y cariñosa con mis primos.

G T		AUDITORIO
L R		NACIONAL
O E		TODO
R V		ACCESO
I I		Karina Yaport
A	7	2,3 y 4/Diciembre/94

A la izquierda, gafete del Auditorio Nacional autorizando mi entrada acompañando a Gloria. A la derecha, gafete que me acredita ya como integrante del grupo musical de Gloria, en 1995.

Fotografía: Christa Cowrie

Gloria Trevi durante una rueda de prensa celebrada el 8 de diciembre de 1995.

En esos días Gloria Trevi promocionó en distintos medios su calendario 1995 y su producción discográfica.

Única imagen en que se captó a Sergio Andrade durante mi segunda visita a Chihuahua, en enero de 1997. En ella se aprecia el aspecto desaliñado de Katia, Gloria y mío. Yo llevaba mallas gruesas y manga larga para ocultar las huellas de los golpes recibidos de Sergio. Katia me vigila; yo, tensa, miro a Sergio, y Gloria también está pendiente de él.

Gloria canta y yo la acompaño al piano. Mi papá quedó impresionado por mi progreso y eso contribuyó a que no tuviera desconfianza.

Fotografías en las que se muestra la expresión de aislamiento y tristeza que me invade en esa segunda visita a mi hogar, al no poder revelar lo que sucedía en realidad dentro del grupo.

SERVICIO EXTERIOR MEXICANO

ACTA DE NACIMIENTO

No. 23026

SECRETARÍA
DE
RELACIONES EXTERIORES

EN **MADRID, ESPAÑA** EL DIA **TREINTA** DE **ABRIL** DE MIL NOVECIENTOS **NOVENTA Y OCHO** ANTE ESTA OFICINA DEL SERVICIO EXTERIOR MEXICANO, SE ASIENTA LA PRESENTE

CLAVE UNICA DE REG. DE POBLACION **39 049 02 98 00016 7**

PAIS	CIUDAD	OFICINA	ACTA	AÑO	CLASE	FECHA DE REGISTRO		
						DIA	MES	AÑO
EÑ	MD	SC	-016-	1998	NA	30	04	1999

REGISTRADO

NOMBRE: **FRANCISCO ARIEL   YAPOR   GOMEZ**
FECHA DE NACIMIENTO **12 DICIEMBRE 1997**
LUGAR DE NACIMIENTO **MADRID, ESPAÑA**   HORA **02:35 HRS.**

FUE PRESENTADO: VIVO **X**   MUERTO ☐   SEXO: MASCULINO **X**   FEMENINO ☐

COMPARECIO: EL PADRE ☐   LA MADRE **X**   AMBOS ☐   PERSONA DISTINTA ☐

PADRES

NOMBRE DEL PADRE   - - - - - - - - - - -   EDAD -- AÑOS
NACIONALIDAD   - - - - - - - - - - -   OCUPACION   - - - - - - - - - - - - -
NOMBRE DE LA MADRE   **KARINA ALEJANDRA YAPOR GOMEZ**   EDAD **15** AÑOS
NACIONALIDAD   **MEXICANA**   OCUPACION   **ESTUDIANTE**
DOMICILIO(S)   **Castilla y León, 29.- S.A. Gudalix.- Madrid, España.**

ABUELOS

ABUELO PATERNO   - - - - - - - - - - -   NACIONALIDAD   - - - - - - - - - -
ABUELA PATERNA   - - - - - - - - - - -   NACIONALIDAD   - - - - - - - - - -
DOMICILIO(S)   - - - - - - - - - - -
ABUELO MATERNO   **MIGUEL JORGE YAPOR OLLERVIDES** NACIONALIDAD   **MEXICANA**
ABUELA MATERNA   **TERESA DE JESUS GOMEZ**   NACIONALIDAD   **MEXICANA**
DOMICILIO(S)   **Escorpio, 127.- México, D. F. - México.**

TESTIGOS

NOMBRE   **Katya de la Cuesta Soria**   NACIONALIDAD   **Mexicana**
DOMICILIO   **Castilla y León, 29.- S.A. Guadalix.- Madrid, España** EDAD **22** AÑOS
NOMBRE   **Marlene Leticia Calderón Derat**   NACIONALIDAD   **Mexicana**
DOMICILIO   **Castilla y León, 29.- S.A. Guadalix.- Madrid, España** EDAD **19** AÑOS

- -
- -

REPRESENTACION CONSULAR

HUELLA DIGITAL
DEL REGISTRADO

EL PADRE

TESTIGO

LA MADRE

TESTIGO

SE DIO LECTURA A LA PRESENTE ACTA Y CONFORMES CON SU CONTENIDO LA RATIFICAN Y FIRMAN QUIENES EN ELLA INTERVINIERON Y SABEN HACERLO Y QUIENES NO, IMPRIMEN SU HUELLA DIGITAL. DOY FE. EL C. **Cónsul** DE MEXICO EN FUNCIONES DE OFICIAL DEL REGISTRO CIVIL.

MARIO VELAZQUEZ SUAREZ
NOMBRE

FIRMA

LA PRESENTE ACTA TIENE ANEXAS LAS ANOTACIONES SIGUIENTES:

Acta de nacimiento de mi hijo Francisco Ariel, firmada por Marlene y Katia
como testigos.

El suscrito, CONSUL DE MEXICO EN MADRID, ESPAÑA

CERTIFICA:

Que la presente copia está sacada de su original, qu
forma parte del libro de actas de NACIMIENTO
correspondientes al año de 1998 mismo que ob
en los archivos de esta Oficina.

Madrid, España, a 26 de MAYO 19 99.

OLGA BEATRÍZ GARCÍA GUILLÉN
CÓNSUL DE MÉXICO

Madrid España 20/01/98

Hola mama !! ¿Cómo esta?

le escribo esperando que
todo esté muy bien por allá y que se encuentren muy bien de salud.

Muchas, muchas, muchas, pero realmente muchas, muchisisísimas

Felicidades !!!!! !!

Fragmentos de la carta escrita a mi mamá desde Madrid. Por instrucciones de Sergio,
debía hacerla sentir mal, decirle que yo creía que no me querían y hacerle una falsa
invitación a España, que nunca se concretó, sólo para darle confianza.

Mamita, usted mejor que nadie sabe lo importante que fue para mí venirme a estudiar para acá, usted sabe todo lo duro y difícil que ha sido para mí sacar las cosas adelante y que he tenido que esforzarme mucho para ir abriéndome camino poco a poco. Yo los he extrañado a ustedes más de lo que creen, sin embargo, aunque no lo parezca, he tenido que contenerme y salir adelante sola en cosas muy difíciles. Yo les agradezco mucho que me dejen estar aquí, y que compren-

apoyo. Yo he crecido y me he vuelto un poco reservada, más madura y para mí escribir en esta carta mis pensamientos con toda sinceridad es algo particularmente especial y lo hago solo porque yo la sigo queriendo mucho y teniéndole toda la confianza del mundo, pero así como soy de sincera tengo también que decirle que a veces me siento triste porque siento que ya no soy tan importante como quisiera seguir siendo para ustedes, y me siento extraña porque cuando he hablado o estado con ustedes hay momentos en los que me da la impresión de que ya no me consideran parte de su familia, de que desconfían de mí. Pero bueno, aunque tal vez sus sentimien-

Tengo una gran emoción porque se me está presentando una estupenda oportunidad de seguir estudiando aquí y necesitaba contárselo. Créame que no cualquiera consigue algo así y por eso me da hasta escalofríos. Ojalá pueda seguir contando con su apoyo si realmente me queda a tomar este otro ♥ curso, porque realmente significa mucho para mí y me beneficia.

La quiere mucho su hija:

P.D.
Le mando dos fotos con
mucho cariño.

Karina

Me llevó hasta donde estaba Sergio, en el espacio de jardín entre la ventana de su cuarto y la barda. Me preguntó si me parecía buena la cena y, bastante desconcertada le contesté: "Como tú digas, por favor, sí". Su comentario fue: "Qué bueno, porque será una de las últimas que pases aquí, hija de la chingada". Me agarró del cabello para golpearme en la cara y me pateó las piernas. A punto de perder el conocimiento, apenas lograba verlo de frente cuando de un golpe me la volteaba; yo la sentía caliente al igual que el cuerpo y quedaba ensordecida por los golpes recibidos en el área de las orejas. Mientras me golpeaba, agitado repetía: "Por qué, por qué no entiendes".

Cuando terminó me dijo que no quería verme más y que comprendiera que "no dejar de tocar el piano era no dejar de tocar el piano" hasta que él personalmente me lo indicara. Sentía que nadie podía ayudarme, que el mar y el cielo oscuros guardaban mi dolor.

En 1996, en Playa Blanca, Sergio tuvo relaciones sexuales con Liliana, Gloria y conmigo. Gloria traía una blusa totalmente desabrochada, sin ropa interior y cuando quiso despojarse de ella, él no lo permitió. Cuando la penetró, en una posición no tradicional, detenía su blusa para que no se le levantara. No sé si haya sido para que no se notara algún golpe.

En 1996 Gloria Trevi y Sergio Andrade tuvieron diferencias con varios directivos de Televisa y una fuerte discusión con Emilio Azcárraga, lo que derivó en la interrupción de la relación profesional. 25 de noviembre de 2000 Cronología en *La Jornada*

En Televisa "congelan" a Gloria; a pesar de ese veto temporal, ella sigue triunfando por otro lado (1996). 16 de diciembre de 1999 Cronología en *La Jornada*

En una ocasión Sonia y yo nos encontrábamos comiendo en la casa rodante cuando escuchamos gritos de: "¡¡Auxilio!! ¡Ayúdenme, por favor!" Salimos de prisa al jardín y vimos a Katia junto a uno de los pozos; Marlene, quien se encontraba en el interior, estaba a punto de caer al fondo. Mientras la ayudábamos a salir llegó Sergio muy molesto por el escándalo. Me enteré de que él les había dado un tiempo a ambas para que desatoraran a un sapo que obstruía el paso del agua por la tubería que subía del pozo y al no poder lograrlo con herramientas, Marlene decidió meterse con tal de cumplir con sus instrucciones.

Y hablando de sapos, eso me recuerda que en varias oportunidades él me dijo que tomara algún sapo gordo que anduviera por ahí y, después de sostenerlo en mi mano el tiempo que él quisiera, lo lanzara al terreno de junto; todo tenía que hacerlo sin titubear.

Otra instrucción que debíamos cumplir era agarrar con las manos algunos de los muchos cangrejos que salían cuando llovía —aunque nos cortaran con sus pinzas—, pues a Sergio le encantaba la ensalada de este marisco.

Una vez, estando en la cocina, me ordenó que metiera la mano a una olla (exprés) en la que se estaban hirviendo los cangrejos y que los sacara uno por uno. Hice varios intentos fallidos los cuales provocaron una gran furia en él hasta que por fin, no sé cómo, logré meter la mano hasta el fondo y cumplir sus órdenes.

Sergio siempre exigía mucha discreción en todo, incluso casi siempre teníamos que salir agachadas al jardín a trabajar, para no llamar la atención. Era tal su afán de que nadie supiera lo que vivíamos que teníamos claves para hablar y nombres ficticios, por ejemplo: Marlene: Surf; Katia: K2; Mary: Esteban; Gloria: Martha; Sergio: la tía; yo: Beto. Es más, llegamos a tener dos o tres sobrenombres distintos.

Viajamos a Acapulco, donde nos hospedamos en el hotel Hyatt Regency. Poco después Sergio me mandó con Mary a comprar dos cambios de ropa para Karla y Katia, que iban a Puebla por su hermanita Karola. La razón que le darían a sus padres era que la menor participaría en una telenovela que Gloria estaba por iniciar, con la participación de Jorge Rivero y Tere Velázquez.

"Pobre niña, ojalá no la dejen venir, pues la vida en el grupo es muy dura", reflexioné.

De vuelta en Cuernavaca, por desgracia, Karla y Katia llegaron con Karola. "Dios, cuídala, por favor", le pedía al Señor por las noches.

No sé cómo pero Sergio se enteró de lo que estuvimos platicando todas en Playa Blanca; además, me dijo que escribiera todo lo que alguna vez haya platicado en ese tenor con alguien y que más me valía que no me faltara nada pues me iría peor; se

Reaparece Gloria Trevi, después de guardar silencio unos meses, con el argumento de que en Televisa no tiene la suficiente libertad y emprende el camino hacia TV Azteca, que la recibe en 1996.
16 de diciembre de 1999
Cronología en *La Jornada*

Después de aparecer en varios programas de la televisora del Ajusco, que la elogió, Gloria recibe denuestos al no querer firmar contrato y decide regresar a Televisa con un ventajoso y millonario contrato en 1996. 16 de diciembre de 1999 Cronología en *La Jornada*

enojó muchísimo porque en su opinión fueron comentarios desleales. En particular le molestó que Katia no quisiera traer a su hermanita y los castigos más severos fueron para ella y para mí. Mi sentencia fue de quinientos golpes con el cable mientras que a Gloria no se le imponía absolutamente nada por las cosas que hubiera hecho mal. Me mandó al cuarto de Gaby y Mary donde había un cable de antena con el cual me di varios golpes en un brazo para irme haciendo a la idea de aguantar quinientos (si no lo hacía me iría mucho peor).

Estuve varios días en la casa que se compró a nombre de Katia en Escorpio 127, esquina con Osa Menor, colonia Prado Churubusco, en el Distrito Federal. Sergio me dio instrucciones de que terminara de pintarla toda, de resanar las paredes y abrillantar los pisos, dejándola como espejo. Casi nadie me ayudó; era la única que lo hacía de tiempo completo, pero aun así no lograba terminar, porque la casa, que él pretendía convertir en academia, era de tres pisos y estaba muy maltratada.

Pasé todo un día limpiando los pisos manchita por manchita, pintando por segunda ocasión las paredes, quitando el sarro de los azulejos, en fin, trabajando muchísimo sin tomar un solo alimento desde cerca de las siete de la mañana hasta las nueve de la noche.

Sergio llegó con un pollo y lo repartió entre las que estábamos ahí. Al intentar saborear lentamente la única pieza que me dio (un ala), se molestó y me dijo que si creía que estaba en el parque o acaso había terminado mis labores. Yo me sentía muy mal, debilitada, triste y desconcertada por esa vida tan distinta de la que tenía con mis padres y de la que imaginé sería estudiar una carrera artística en México.

Por fin todo quedó como él quería: los pianos en un cuarto, las guitarras y el bajo en otro, los aparatos de ejercicio y la biblioteca en sus respectivos lugares. Nos costó mucho trabajo bajar las pesadas tarimas del tercer piso al segundo por la escalera de caracol; casi me caía. No quisiera recordar esa amarga experiencia.

Mi nueva angustia es que él comenzó a cobrarme el castigo. Lo hizo en dos ocasiones: la primera fue de sesenta golpes y la segunda de cien, todos con una extensión eléctrica. No podía sentarme ni acostarme por el dolor. Pensaba que nunca terminaría ese tremendo castigo que constaba de quinientos golpes y le pedía a Jesús que me diera fuerza para continuar.

Sergio compró una casa en la calle Transmisiones, atrás de Televisa, para facilitar el traslado de Gloria a las grabaciones de un programa que haría con ellos.

Después de hablar largo rato con Karola, Sergio nos dio instrucciones a Marlene y a mí que lo acompañáramos a su recámara en el segundo piso. Al

El retorno de Gloria Trevi a Televisa se hizo público el 13 de septiembre de 1996, en una conferencia de prensa. Los reporteros la cuestionaron insistentemente por su regreso al feudo de Azcárraga Milmo. 25 de noviembre de 2000 Cronología en *La Jornada*

La hija
pródiga
regresa a
Televisa,
con un
contrato por
ocho
millones de
dólares para
hacer cuatro
telenovelas,
seis pelícu-
las y
conducir un
programa
en horario
estelar.
25 de
noviembre
de 2000
Cronología
en *La
Jornada*

entrar vimos a Karola totalmente desnuda y él nos ordenó que hiciéramos lo mismo. Comprendí que era la primera relación múltiple para Karola y mientras él disfrutaba penetrando a quien se le diera la gana, yo pensaba en aquel día en que Marlene salió desnuda del baño de Sergio y en lo triste y asqueroso que era todo aquello de lo cual estaban llenos mis años a su lado.

Pero, cómo son las cosas, ese estilo de vida ya no me afectaba tanto, cada vez se me hizo más normal y cotidiano; de alguna manera aprendí a vivir así. ¡Qué triste! Hoy repaso esos momentos y quisiera poder borrarlos de mi mente.

Todos los días, cuando se acababa "XETÚ Remix", Sergio y Gloria llegaban a la casa de Escorpio para que él pudiera golpear a las que estábamos castigadas ahí. Yo sentía que no me quedaban fuerzas porque el alimento era muy escaso. En Televisa les daban desayunos que consistían en tres cucharadas de frijoles, un poco de huevo y a veces algo de papaya; pues bien, eso lo repartían entre dos personas al día. Con eso en el estómago debía hacer ejercicio todo el día, sin parar, y estudiar dos coreografías que puso Liliana.

Sergio mandó incluso comprar un portaviandas para llevar a la casa lo que le daban a Gloria, ya que ellos acostumbraban comer en buenos restaurantes y lo que no les gustaba de la comida asignada para el programa era para nosotras. En Televisa también ponían a su disposición galletas y pan de dulce, pero por lo general eso lo comían ellos.

Además, ordenó que trajeran el papel de baño y los pañuelos desechables del camerino de Gloria. Lo mismo sucedía cuando nos hospedábamos en algún hotel; debíamos llevarnos todo: los champús, las cremas, las bolsas para lavandería y las gorras de baño.

Un día no aguanté. Sergio me habló por teléfono para que tomara la llave y le abriera la puerta, a pesar de que obviamente había otras personas conmigo, porque llegaría en unos minutos. Entró en compañía de Gloria y Gabriela y mientras ellas se aproximaron a la pequeña cafetería, yo debía recordarle a él mi castigo; de no hacerlo incrementaría mi sentencia.

Cuando le dije: "Perdón, por favor y como tú quieras; te recuerdo mi castigo y quisiera arreglar las cosas con golpes o como tú quieras, por favor", se me quedó viendo fijamente. Su mirada, dominante y oscura, me hacía pedazos por dentro, a tal grado que lo único que lograba distinguir en ella era a un monstruo a punto de atacarme. Estaba muy adolorida; debido a los golpes acumulados mi espalda, mis glúteos y la parte trasera de mis muslos mostraban una mezcla de colores entre morado, verde y negro, con pequeñas aberturas en un costado. Y es que por más fuerte que azotara el cable en mi cuerpo, lo único que alcanzaba a cortar era la

Gloria Trevi debuta como conductora del programa "XETÚ Remix" el 16 de septiembre de 1996. Este programa no alcanza las expectativas y es criticado a diario en "Ventaneando", de TV Azteca. 16 de diciembre de 1999 Cronología en *La Jornada*

punta en la que se hacía el doblez mientras que con el resto prácticamente me molía la carne.

Repitiendo la frase, la voz se me empezó a quebrar ya que él, sin externar palabra, me lo decía todo con la mirada. Estaba verdaderamente furioso. Lo último que recuerdo es que me decía: "Ándale, hija de la chingada, que se te ocurra desmayarte y te va a ir mucho peor, te vas a arrepentir de haber nacido..." Fue tan inmenso mi terror que me desvanecí antes de que comenzara a golpearme.

No obstante, lo más impresionante fue que, al recobrar el conocimiento, Sergio estaba teniendo relaciones sexuales conmigo. Yo me sentía muy débil y confusa; todo aquello parecía una ficción. Mientras tanto, Marlene me dio un poco de refresco para que me subiera la presión. A su vez, Sergio me rociaba el cuerpo con otro que no sé en qué momento ni cómo ni de dónde llegó hasta ahí, supongo que de la cocina porque estaba enseguida. Él se veía preocupado; me besaba los labios, me abrazaba y acariciaba a la vez que me penetraba, aparentemente todo con mucho cariño.

Estaba muy asustada y sólo acerté a decirle: "Perdón, por favor, cómo puedo arreglar el problema". Cuando terminó de tener sexo conmigo me ordenó que me vistiera y que lo arreglaría con golpes, pero que primero les ofreciera una disculpa a Marlene, Gabriela y Gloria porque lo habían ayudado a llevarme al cuarto. Que después subiera al segundo piso y lo esperara desnuda y recostada en el aparato de ejercicio para continuar con mi castigo. Camino a las escaleras después de haberme disculpado, Sergio me habló y me dijo que el asunto quedaría pendiente porque ya era muy tarde y tenía que irse. Era como si estuviera probando mi obediencia y lealtad.

Fui a dormir sin dejar de pensar en lo sucedido; las lágrimas corrían por mi rostro sin emitir sonido alguno, pues sabía que informarían a Sergio de mi estado de ánimo y eso lo molestaría. Empecé a recordar cuando era niña, cuando iba a la escuela y jugaba con mis amiguitas. También pensaba en el día en que jugaba con mis Barbies y su casita cuando Mary llamó a mi casa para decir que venía por mí. Era muy duro recordar ese momento clave que cambió mi vida.

Con el llanto contenido, Karina explica en el juzgado quién o quiénes daban las instrucciones cuando Sergio no estaba: "Debía ser una de las mayores y la que menos problemas tuviera con él. Casi siempre eran Mary, Sonia, Katia o Gabriela. Las órdenes que trasmitían eran, por ejemplo, montar piezas en el piano o hacer la limpieza de algún lugar. A veces lo ordenaban con reloj en mano porque debía hacerse en un tiempo exacto. No había forma de no acatar las instrucciones, pues sabía que una de las cosas que peor castigaba Sergio era la desobediencia. Al final eran reportados los errores de cada una.

"Los castigos por desobediencia consistían, en el mejor de los casos, en un aumento del peso de las actividades; luego racionaba la comida y aislaba a la que había desobedecido. Después empeoraba las condiciones para dormir, aunque desde un inicio siempre se hacía en el suelo. La que era castigada tenía que pedir permiso para ir al baño, incluso a veces sólo en horarios determinados. En otras ocasiones Sergio nos golpeaba mientras realizábamos la tarea en la que según él habíamos desobedecido, y hasta que lo hiciéramos bien. Pero no se detenía ahí, seguía golpeándonos aun después de haber concluido el trabajo."

Estudiaba piano dieciséis horas continuas, salvo dos intermedios de diez minutos para comer. Me dolían los dedos de las manos de tanto tocar y casi no sentía las yemas. Todos los días eran iguales, siempre. Lo único que me ayudaba era saber que pronto hablaría por teléfono con mi mamá; la echaba mucho de menos.

Como no pude soportar que Sergio me castigara y me desmayé, el castigo empezó de nuevo, sin contar los golpes que ya había recibido. Tenía que recostarme en el aparato de ejercicio boca abajo y sin prender la luz, para esperar a que él entrara con el cable. Me aterraba escuchar el ruido de las persianas azotadas por el viento, para mí representaba el inicio de la sesión de golpes por parte de Sergio.

Cuando terminé de pagar mi castigo él me dijo que tendría que presentarle algunas obras de Bach perfectamente bien tocadas para poder salir de esa casa de castigo.

Por fin llegó el día y cuando fue a recogerme para salir de la casa le mostré el bulto que me había dicho que preparara con algún cambio de ropa. Se me heló el cuerpo porque, en un tono bastante molesto, me dijo que a dónde creía que iba, que si me parecía que me había portado muy bien... Desconcertada le contesté: "Perdón, por favor y como tú quieras, cómo puedo arreglar los problemas, por favor, si quieres con golpes o como tú digas, por favor" (frase de rutina obligatoria). Su respuesta fue que subiera al segundo piso y me preparara para que me golpeara. Haciendo un gran esfuerzo logré llegar hasta el aparato de ejercicio sin desmayarme por el temor. Pensaba: "Ya pasé lo peor, si ahora me desmayo o no aguanto tendría que volver a empezar con los quinientos golpes y entonces sí sería capaz hasta de quitarme la vida". Empecé a rogarle a Dios que me diera fuerzas para soportar lo que venía. Ya desnuda sobre el aparato de ejercicio escuché cómo castigaba a otra de las muchachas, lo cual me ponía aun más tensa. Cuando entró apreté los dientes, cerré los ojos y respiré hondo, esperando lo peor. Sin embargo, él puso sus dedos sobre mi espalda machacada por los golpes anteriores y me ordenó que me vistiera, felicitándome por la "voluntad" de arreglar los problemas (no había sido ninguna voluntad lo que me llevó ahí, sino el instinto de subsistencia). "Dios mío, muchísimas gracias; me escuchaste Señor, me salvaste de ésta", pensé.

Cuando bajé para irnos me preguntó con ironía cuántas Biblias llevaba conmigo y me ordenó dejarlas ahí. Me sentí muy mal, sin alternativa, y le pedí perdón a Dios.

Volvimos a Playa Blanca. Sergio no dejaba de castigarme; incluso estrenó un castigo conmigo. Por no decirle: "Perdón, por favor, cómo puedo arreglar el problema, con golpes o como tú digas, por favor", me mandó al cuarto de servicio, donde debía esperarlo boca abajo y desnuda. Entró, tomó una escoba con las dos manos y me golpeó muy fuerte con el palo. Son distintos los golpes con cable, palo y cinturón, pero todos son en extremo dolorosos.

Después me ordenó que me vistiera y lo alcanzara. Así lo hice y le di las gracias —costumbre obligada al concluir un castigo—, añadiendo: "Perdón, por favor, cómo puedo arreglar el problema". Como no incluí la consabida frase de que quería arreglarlo con golpes, comenzó a insultarme. Me gritó que no entendía, que no debía decir ni una palabra de más ni una de menos al pedirle perdón y que regresara al cuarto de servicio para que me castigara de nuevo. Sentí morir; quería salir corriendo pero no podía; sabía que no me quedaba más que aguantar. Y he ahí la segunda ronda de golpes en menos de una hora. ¡Qué dolor! Llorando por dentro, pensaba: "¡Quiero estar con mi mamá! ¡Quiero irme lejos, muy lejos de aquí! Pero cómo, si no tengo dinero ni fuerzas ni nadie que me ayude".

Llegó una nueva niña llamada Ámbar Gise Hernández, de trece años de edad. Entonces entendí algunas cosas: Gloria inventó una historia para lograr que tuviera relaciones sexuales con Sergio. Una noche fingimos que no encontrábamos a Gloria y todas hacíamos como que la buscábamos, pero en realidad estaba escondida en una camioneta. Gloria quería que Ámbar se sintiera mal, que pensara que se había ido sola en medio de la noche y su vida corría peligro. Todo porque Ámbar no accedía a ayudarla para que supuestamente Karola no le hiciera daño a Sergio.

Después salimos para Ixtapa, Zihuatanejo. En la camioneta iban Sergio y Gloria —escondida— y en un auto, Mary, Liliana, Marlene, Ámbar y yo. Al día siguiente supe por el propio Sergio que consiguieron que Ámbar tuviera relaciones con él, al menos eso me dio a entender al decirme: "Tu amiga ya presentó sus armas".

Ya en Playa Blanca, quedé como encargada de una tiendita que se encuentra entre el terreno contiguo y la casa donde vivimos. Fue abierta para abastecer a los trabajadores de la obra, pues van a construir un hotel en ese lugar. En algunas ocasiones me ayudaban Marlene o Claudia. Tenía sólo diez minutos, después de que saliera el último trabajador, para presentar las cuentas del día y la lista de todos los productos vendidos o fiados. Karla, reloj en mano, verificaba mis cuentas y mi lista. Un día me equivoqué y eso me ocasionó severos castigos.

Uno de ellos fue el más doloroso que había sufrido hasta entonces. Cada vez me resultaba más difícil soportar vivir así. Sergio nos llamó a su cuarto a Karla y a mí; me golpeó con su cinturón en todo el cuerpo sin parar, incluso en la cara, el pecho y la cabeza, pues yo estaba de pie y no podía meter las manos para cubrirme un poco. Me gritó varias veces: "¿Por qué?", en tanto yo le respondía: "Cómo puedo arreglar el problema, por favor". Karla sólo observaba asustada. Él, al verme mareada, sangrante y a punto de desvanecerme, me dijo: "Ándale, que se te ocurra volver a hacerme lo de la cabina y la academia y te vas a arrepentir".

Al día siguiente me golpeó con los puños. Me dejó con los ojos inflamados y con moretones; tuve que aplicarme hielo y maquillaje para disimular. Después fui a atender la tienda y me vigilaron Tamara y Natalí, lo cual significaba, además de todo, una gran humillación, pues ellas eran las que más hacían enojar a Sergio.

Era imposible confiar en nadie y sencillamente no sabía cómo huir de ahí. "Si saliera corriendo no llegaría ni a la esquina, estoy tan débil —física y emocionalmente— que apenas puedo sostenerme en pie", me decía.

Gloria se comportaba de una manera por completo distinta de cuando la conocí; para mí era obvio que en verdad estaba enamorada de Sergio. Lo mismo pensaba de Marlene, quien se mostraba celosa de las demás. A mí me daba igual, no sentía que lo quería. Pensaba que mi única opción era llevar la fiesta en paz, ya que no sabía cuándo saldría de ahí.

No entendía tampoco por qué Mary, quien según me dijeron fue su esposa y ya no lo era, seguía estando con él; es más, aparentemente Sergio le dijo que nunca volvería a tener relaciones sexuales con ella ni la golpearía porque le fue infiel, no sé con quién ni en qué circunstancias. Creo que incluso estaba dispuesto a dejarla ir. Es increíble, no la comprendí entonces ni la comprendo ahora, pues para ella esto significaba una gran desgracia. En su situación, yo me hubiera sentido feliz y me habría ido al instante.

Durante bastante tiempo —narra la madre de Karina— no tuvimos noticias de nuestra hija. Noche tras noche pensaba en ella; la busqué en todos los números telefónicos que me dieron pero nadie respondía. Necesitaba tanto a mi chiquita; sólo Cristo sabía cómo deseaba que estuviera a mi lado.

Me decidí a comunicarme al estudio donde realizaban el programa de Gloria Trevi, "XETÚ Remix"; me proponía avisarle a Kari que estaba muy enferma del corazón y que sufrí un infarto. No logré hablar con ella pero más tarde nos llamó Mary; me dijo que mi hija estaba bien, pero que no podía comunicarnos porque estaban ensayando. Insistí, hasta que ella me convenció de que Karina se asustaría con la noticia y era mejor no preocuparla.

Así transcurría mi vida, esperando a que sonara el teléfono y escuchara la voz de mi hijita, quien nos tenía muy preocupados. El permiso que dimos ya había vencido, pues era sólo por seis meses. Cada vez que se lo mencionaba a "Mary Boquitas", ella me respondía que Kari estaba aprendiendo mucho y que tan pronto les fuera posible vendrían

La mamá de "Mary Boquitas" afirma que su hija tenía catorce años cuando se casó con Sergio; que ella y su marido dieron el permiso por las amenazas de Andrade; que cuando Mary la visitaba, lo hacía siempre acompañada, y que dormía en la misma cama con Gloria y Sergio. Mayo de 1997 *TV Notas*

En los primeros días de 1997, el 3 de enero, llega a su fin "XETÚ Remix". 16 de diciembre de 1999 Cronología en *La Jornada*

a renovarlo. Pero no lo hacían y yo insistía e insistía en que viajaran a Chihuahua.

Entre finales de 1996 y principios de 1997 viajé por carretera con Sergio, Gloria, Marlene, Katia y Karola. Iríamos a Los Mochis, Sinaloa, y yo sentía una enorme ilusión porque en unos días estaría en mi casa por segunda vez. ¡Por fin volvería a ver a mi familia! Después de Navidad salimos de Ixtapa; recorrimos toda la costa del Pacífico, parando en Manzanillo, Puerto Vallarta y Mazatlán, hasta que llegamos a Los Mochis, donde vivía la familia de Marlene.

Por cierto, ella tuvo un grave problema con Sergio porque fue muy efusiva al saludar a un primo, a quien al parecer no veía en mucho tiempo y, como era de esperarse, a Sergio esto le cayó muy mal.

Él y Gloria fueron a comer a un restaurante con la familia de Marlene.

En ese viaje se enojó conmigo por desobedecerlo; mi castigo consistió en no poder hablarle y escribir mil veces: "Debo obedecer a Sergio en todo y no ser creativa". Comía sola y tenía que escribir con la mano derecha y llevarme el bocado a la boca con la izquierda, al mismo tiempo. Después quiso golpearme con los ganchos que había en el clóset de la habitación, pero como estaban asegurados al tubo no pudo hacerlo y lo dejó pendiente. Mis ansiosos pensamientos en esos momentos eran: "Ojalá lo olvide. Dios, te pido de todo corazón que me ayudes, que nunca más vuelva a pegarme. Por favor, no me abandones". Qué esperanza.

Por fin llegamos a Chihuahua. Viajamos en un avioncito de Aerolitoral desde Los Mochis, en cuyo aeropuerto dejamos la camioneta en la que estuvimos viajando. Sergio llamó a Gabriela para ordenarle que, en compañía de Wendy, vinieran a recogerla y volvieran en ella a Ixtapa.

El avión era pequeño, incluso para entrar tuvimos que agacharnos. Tenía dos hileras de asientos y un pasillo en medio. Poco antes de aterrizar, Sergio tomó mi mano, la llevó hasta su parte íntima y comenzó a moverla para que lo acariciara. Debido al movimiento del avión Gloria nos miró y él le dijo en son de broma: "Ya voltéate, metiche". Ella se limitó a sonreír. Él soltó mi mano y la retiró. Yo estaba muy avergonzada, no me gustaban esas cosas, pero si decía algo seguro que me golpearía.

Me dieron la misma ropa que se puso Marlene en su casa para que la usara yo en la mía. Al llegar fuimos a un centro comercial a comprar unas mallas gruesas y negras para ocultar las marcas de los golpes que me dio con el palo de escoba y que mi familia, por supuesto, no debía ver.

Me sentía desesperada; mis papás se habían mudado y no tenía la dirección exacta. Como Sergio quería que llegáramos sin avisar, no podía llamarles para pedírselas. Confusa, llegué a pensar que dado lo nerviosa que estaba, quizá lo mejor sería no ir a verlos. De todas maneras, como iba acompañada, no podría confiarles nada. Mientras conseguíamos la nueva dirección de mis papás, nos hospedamos en el hotel Camino Real.

A menudo me recordaba que no debía cometer ningún error, mucho menos como el de Marlene, porque no quería que me castigara.

Sergio consiguió la nueva dirección por vía telefónica a través de Gabriela quien, siguiendo sus órdenes, llamó a mis papás con el pretexto de que yo deseaba enviarles algunas cosas.

Les dio mucho gusto verme; hice un gran esfuerzo por controlarme pues Katia se quedó a dormir en mi casa con la instrucción de no separarse de mí por ningún motivo. También debía evitar, a toda costa, que vieran las marcas de los golpes recibidos.

Sergio me dio dos mil pesos, que les entregué a mis padres. Tenía que hacerles creer que ese dinero era parte de mi pago por las presentaciones. Me provocaba gran tristeza que me vieran así, tan rara, sin poder decir nada.

Al día siguiente se organizó una comida en casa de mi abuelita, con la asistencia de Sergio y Gloria. Sabía que debía "portarme bien", como él decía, para no meterme en más problemas.

Todos en casa —narra el padre de Karina— nos sentimos tristes cuando nuestra hija de catorce años se marchó de nuevo. Llegó acompañada de Katia y, como lo hizo la vez anterior, sin avisar.

Realizamos una gran comida familiar en casa de mi madre, Eloísa Yapor, para conocernos todos porque, además de Katia, vinieron Gloria, Sergio, Marlene y Karola, la hermana de Katia. También estuvieron presentes mi hermano Ricardo Yapor; la tía Tere Portillo y sus dos hijos menores; el tío Carlos Guerra; el pastor Armando Parra con su esposa y sus tres hijas; mi hermana Patricia Yapor y su hijo Francisco Javier; un amigo mío, Raúl López, y su hermano; una amiga de ellos y uno o dos reporteros que vinieron con él. Más tarde llegó mi sobrina Adriana junto con dos amigas. Los reporteros grabaron una cinta de video y tomaron fotografías, aunque el señor Sergio Andrade —a quien conocí en ese momento pues mi esposa fue la única que trató con él cuando invitaron a Karina al grupo— no quiso que se le retratara ni grabara.

Todas las muchachas se mostraron educadas y atentas. Gloria se comportó de manera muy cariñosa con mi esposa.

El señor Andrade era un hombre serio, con aspecto de intelectual, quizá debido a su atuendo poco formal. Hablamos sobre los estudios de Karina y sus posibilidades en el medio artístico. Me dijo que si mi hija sigue trabajando duro, tendrá futuro; pese a que es una carrera muy difícil, según él, con disciplina y echándole muchas ganas Kari saldría adelante. Después platicamos ampliamente sobre nuestra religión, el cristianismo; él escuchó con atención todo lo que le decía, pero no comentó nada. Antes de que partieran le regalé dos libros sobre evidencias del cristianismo.

Notamos que Karina se había convertido en toda una señorita, y muy recatada; sin embargo, nos dolió percibir que ya no era la niña risueña y alegre de antes. Los hijos crecen, se hacen mayores pero, aun así, nos parecía extraño que ella fuera tan callada, seca y distante. Tere le preguntó varias veces cómo estaba, si vivía feliz en la Ciudad de México, a lo que únicamente respondió que se sentía muy bien y contenta. Nos llamó la atención que estuviera tan delgada y no pudimos dejar de preocuparnos.

Fue muy difícil estar ahí y no contarle nada a mis papás. No pude hablar con ellos en privado, porque no me dejaban sola en ningún momento; incluso cada vez que deseaba ir al baño, Katia o Marlene fingían querer ir, para así acompañarme. Y aunque Sergio dijo que si era conveniente escuchar a mis papás a solas para que no sospecharan nada, lo hiciera, sabía que me estaba probando y que si eso ocurría me iría muy mal.

Además, debía concentrarme para no cometer ningún error; tenía que hacer todo lo que él me dijera.

Por fortuna, al llegar a Monterrey, me felicitó por mi actitud durante la comida en casa de mi abuelita. "Debo comportarme siempre así para que no me castigue de nuevo", me decía.

De Monterrey viajamos a la casa de Sergio en McAllen, Estados Unidos. No pude avisarles a mis padres; esperaba que llegando allá me dieran permiso de hacerlo.

Una cosa que es importante subrayar es que, aunque muchas veces no lo mencione de manera específica por no ser repetitiva, las relaciones sexuales y los castigos se sucedían casi a diario. Ése era nuestro estilo de vida.

Karina especifica en su declaración los objetos que pudo ver en la casa de la ciudad de McAllen: "Había varios videos de producciones donde aparecía Gloria; objetos de la tienda de ella, como chamarras, camisetas, llaveros y tazas; revistas pornográficas que pertenecían a Sergio y creo que también tenía películas pornográficas".

De regreso en Playa Blanca, Sergio nos puso a varias personas y a mí a hacer un camino de tepetate en el terreno de al lado, adquirido a nombre de Sonia Ríos, para que los carros pudieran estacionarse sin hundirse en la arena. Como de costumbre, al poco rato la única que tenía que seguir acarreando botes con tierra y piedras era yo.

Al día siguiente sucedió lo mismo pues, a pesar de que se contaba con una carretilla y con ella podría trabajar más rápido, él no me permitió usarla. Sentía que no resistiría el fuerte calor con esa ropa oscura, sin comer, cargando tanto peso y, lo que era aun peor, sin poder beber una gota de agua.

Nunca olvidaré que en esos momentos se me antojaba tomarme toda el agua del mar y que, una vez que vi a un perro por ahí, sentí ganas de que me orinara en la boca para poder beber aunque fuera eso, ya que la garganta se me pegaba y mi boca estaba partida por la resequedad. Incluso tenía que hacer mis necesidades en mi propia ropa sin dejar de trabajar. Un día después de que terminé el camino, los albañiles lo destruyeron para empezar a trabajar. ¡No podía creerlo!

En una ocasión en Playa Blanca se me hincharon muchísimo los pies durante tres días; él, obviamente, se molestó conmigo como si me hubiera enfermado a propósito. No me permitió curarme, sólo asolearlos; cuando vio que de plano ya no podía caminar me dejó descansar un poco.

En mayo de 1997 Sergio me ordenó que fuera con Marlene a mi casa llevando unos regalitos a mis papás y a mi hermano. Debía decirles que iba a salir un libro escrito por Aline Hernández y que no creyeran nada de lo que en él se afirmara; que Aline era una mentirosa y todo formaba parte de una campaña de difamación orquestada por Televisión Azteca y por ella. Que Aline siempre quiso ser como Gloria y que al no lograrlo pretendía causarle daño, así como a su ex esposo, el señor Andrade. Después viajaríamos a Los Mochis para que Marlene viera a su familia, para cumplir la misma misión.

En junio de 1997, junto con Marlene, Wendy y Mary, viajé rumbo a Madrid, España. Hicimos escala en Chicago, Estados Unidos y Frankfurt, Alemania. Después de alertar cada una a nuestras familias sobre el libro de Aline y seguir algunas otras instrucciones de Sergio, emprendimos el viaje.

Al llegar, Sergio, Gloria, Karola y Katia estaban hospedados en el hotel Holiday Inn, en la Plaza de España, y Karla y Susana Rodríguez en el Trypp, ubicado a cuadra y media del anterior. A nuestra llegada Sergio tuvo relaciones con Wendy, Marlene y conmigo.

Mi vida llegó a un punto en el que había perdido toda noción de la realidad. Sentía que si Sergio me castigaba era por mi culpa y que lo merecía. Empecé a creer en verdad lo que Sergio, Gloria y Mary solían afirmar: que quienes no estaban en el grupo eran mediocres; que todos los hombres eran infieles, que sólo pensaban en el sexo y por esa razón, entre muchas otras, Sergio era mejor, ya que él no nos ocultaba que tenía sexo con otras personas; es decir, era muy sincero.

Mi autoestima era nula y vivía sólo en función de lo que él deseaba y ordenaba.

En diversas ocasiones Sergio viajó con Katia, Karola, Gloria y alguna vez con Mary a Granada, Sevilla, Ibiza, Torremolinos y otros lugares.

Yo vivía con Gloria, Marlene, Mary, Karla, Sonia, Liliana y Wendy. En una sola ocasión estuve con Gabriela.

Por su parte, las hermanas De la Cuesta nunca vivieron con los familiares que tenían en España. Sólo una vez Katia invitó a sus padres y fueron a visitar a una cuñada de su papá.

Por instrucciones de Sergio, Katia le pidió dinero prestado a su tía. Hay documentos que comprueban dónde vivió; por ejemplo, la dirección que dio al abrir una cuenta en el Barclays Bank, a donde le llegaban cada mes sus estados de cuenta; también se cuenta con la dirección que dio al comprar un automóvil.

Recuerdo que el dinero con el que Katia abrió esa cuenta tuvo la siguiente trayectoria: cuando viajé a España a mi regreso de Houston —incidente que relato más adelante— y él me esperaba con Karola, Katia y Gloria en Madrid, me hicieron un cheque por siete mil u ocho mil dólares de la cuenta mancomunada que Katia y Karla tenían en Bancomer. Lo cobré en compañía de Wendy y llevé el dinero a España para entregárselo a Sergio, quien después se lo dio a Katia para que abriera la cuenta.

El mismo día que llegamos a España sucedió algo que me pareció increíble. Mientras sosteníamos relaciones sexuales Sergio, Wendy, Marlene y yo, él notó algo raro en mi abdomen y mandó comprar una prueba de embarazo que él mismo me aplicó. El resultado fue positivo.

¡Estaba embarazada! ¡Qué mezcla de sentimientos se agolpaban en mi interior! Un acontecimiento como éste y no poder compartirlo con mi familia —huelga decir que Sergio jamás lo hubiera permitido—; me parecía una tremenda injusticia.

Sergio estaba muy nervioso e incómodo por mi embarazo, pero a la vez se notaba en su actitud que para él era una situación ya muy conocida y sabía cómo manejarla. No me comentó mayor cosa pues no lo consideraba una buena noticia. De lo único que estaba seguro es de que quería que abortara pues, según él, en esos momentos no era adecuado tenerlo (seguro se refería a las circunstancias provocadas por la publicación del libro de Aline). Por lo tanto, debía viajar con Mary a Houston, Texas. Yo estaba desesperada, no quería ir, pero me faltaban fuerzas para luchar contra él; estaba consciente de que si le decía algo al respecto, sería capaz de golpearme hasta que abortara. No me quedó alternativa, no podía hacer nada, no me atrevía a enfrentarlo. "Tendré que ir a Houston —me dije—, confío en que Dios me ayudará."

Uno de mis recuerdos más desagradables es que, estando embarazada, a los pocos días de haber llegado a España y hospedarnos en el Tripp y en el Holiday Inn, tuve que comer mi vómito por primera ocasión en San Agustín de Guadalix, España. En ese estado es normal sufrir asco con frecuencia. Un día, al levantarme, acabando de despertar, me sentí muy mal y vomité en el piso una cosa amarilla que parecía huevo crudo. Pues bien, tuve que recogerla a cucharadas para comérmela y, por último, limpiarla con la lengua.

Marlene me explicó en qué consistía un aborto, pues Sergio y las demás sabían que me daba miedo. Me contó que ella se practicó uno a los trece años, también en Houston. Aun así, yo me negaba a perder a mi bebé. ¡Prefería morirme! Estaba convencida de que me sería imposible seguir viviendo de esa manera, mucho menos sin mi bebé.

Karina y Marlene no fueron las únicas que viajaron a Houston con el objeto de abortar —aclaró la primera en el juzgado—: "Karola fue sometida a un aborto en Houston; la acompañó su hermana Katia. Wendy abortó durante los primeros meses que estuvimos en España; de hecho, fue en la época en que Sergio vino a México para casarse con Sonia Ríos. (Así podría poner sus bienes a nombre de ella y evitaría que ni Aline ni nadie pudieran demandarlo y quitarle algo. También lo hizo por proteger su imagen.) Karola y Wendy, cuando regresaron a España, tomaban unas pastillas para prevenir una hemorragia.

"Karla de la Cuesta tuvo un aborto natural en la ciudad de Córdoba, Argentina, y en algún momento escuché que Gloria había tenido por lo menos uno, pero no ocurrió mientras yo formé parte del grupo, que yo sepa."

También recuerda cuáles fueron los métodos que utilizaban para no embarazarse: "A veces Sergio, después de las relaciones sexuales, nos hacía un lavado vaginal con Coca-Cola normal, o designaba a alguien para que lo realizara. En varias ocasiones me lo hicieron Wendy o Marlene, durante 1995 y finales de 1998".

Ya en Houston, acudimos a una clínica donde me practicaron varios estudios; la conclusión de los médicos fue que el embarazo estaba muy avanzado, que no era recomendable abortar y que si decidía hacerlo, correría un alto riesgo. Al día siguiente, en otro sitio me hicieron un ultrasonido y me dijeron que tendría una niña, ¡una bebita!

Al llegar al hotel, Mary le llamó a Sergio para contarle lo que dijeron los médicos y ¡gracias a Dios!, desistió de la idea de hacerme abortar. En ese instante recobré la tranquilidad. "Tendré una niña —pensaba—, ¡es absolutamente increíble! Ahora es necesario que me cuide mucho para que nazca bien."

Regresé con Mary de Houston a México, donde permanecimos unos días. Después ella me llevó al aeropuerto para que abordara un vuelo a Madrid.

En el aeropuerto de Barajas me esperaban Sergio, Karola, Gloria y Katia. Entonces comenzó el peor infierno de todos esos años; me enteré de algo aberrante, horrible, deseé morir para no seguir sufriendo tan terrible tormento. Ahí mismo, él me advirtió que íbamos a tener a la bebé, pero que las cosas serían como con Sofía. Entonces descubrí que la niña en realidad no era sobrina de Gabriela, sino hija suya y de Sonia. Me dijo que cuando Sofía creciera sería su pareja, lo mismo que cualquiera de nosotras.

Creo que nunca podré borrar de mi mente esas palabras que me dejaron helada, invadida por una profunda tristeza y por una agobiante sensación de impotencia: sabía que si me oponía me haría abortar de cualquier manera o me quitaría a la niña al momento de nacer. "Además —reflexioné, un tanto a manera de consuelo—, de aquí a que crezca, ya Dios dirá."

En una ocasión, cuando todavía creía que tendría una niña, Sergio me mandó a dormir a la cama del cuarto donde Gloria guardaba sus cosas. Como a las cinco de la mañana, me despertaron su presencia y su mirada. De inmediato me levanté para cederle el lugar. Al acostarse agarró mis manos y me dijo que se sentía un poco mal porque acababa de soñar que se moría y que caminaba junto a nosotras, pero que no lo veíamos ni escuchábamos porque era un espíritu; agregó que se sentía desesperado.

Cuando lo vi en ese estado, me sentí asustada y confundida a la vez.

En esa época, Sergio me pedía con frecuencia que acompañara a Gloria al baño para que no vomitara, pues ella era bulímica y a él le molestaba mucho que mantuviera su peso de ese modo y no con voluntad, haciendo dietas y ejercicio.

Durante nuestra estancia en España, Gloria trajo a su hermana Mildred, de quince años de edad, hija de su papá y de su nueva esposa. Su intención era que entrara al grupo; sin embargo, Sergio no estuvo de acuerdo porque le pareció que su comportamiento y su físico aún eran los de una niñita y, sobre todo, porque temía que algo saliera mal con ella y le ocasionara problemas.

Karina explica a las autoridades con qué fin fue fotografiada en España: "En Madrid fui con Sergio, Gloria, Marlene y Karola al Museo del Prado. La finalidad de la visita era tomarme unas fotografías para enviárselas a mis papás antes de que se notara mi embarazo".

Cuando me informaron que no tendría una niña, sino un niño, el pánico me paralizó. Sólo acertaba a preguntarme: "¿Cómo se lo voy a decir a Sergio? Se va a molestar". Tenía tanto miedo, que apenas sentía mi cuerpo.

Ah, pero el consuelo que me quedaba, la ilusión que me permitía, que me impulsaba a seguir adelante, era el hecho de que un pequeño ser latiera dentro de mí.

Si califico de monstruoso lo que me ocurrió después de darle a Sergio la noticia de que mi bebé sería niño, me quedo corta. Enfurecido, me repitió varias veces que no lo quería y me mandó a una habitación. Más tarde me llamó, todavía muy enojado; me trató como si la culpa fuera mía, como si yo hubiera podido decir: "Ahora conviértete en niño". Me estuvo recriminando: "Gozas, ¿verdad?, es a propósito, ¿verdad?"

Yo lloraba sin cesar; todavía ahora, con sólo recordarlo, me tiemblan otra vez las manos.

Después me advirtió que las cosas no iban a ser como yo quisiera, que él no quería a ese niño y en la organización no se permitía que hubiera ningún otro hombre: "Mucho menos va a venir *eso*; en cuanto nazca, a ver cómo nos deshacemos de

En 1997 se lanza al mercado una recopilación llamada *De pelos, lo mejor de la Trevi*. También sale un video con ese nombre. 26 de mayo de 2000 Cronología en *Reforma* (*deperiodist@s*)

él"; tales fueron sus palabras. ¡Qué palabras tan aterradoras para una niña de tan sólo catorce años que lo único a lo que podía aferrarse era a ese hijo, que era todo lo que tenía, una parte de su ser! "No puedo permitir que le haga nada, ni que lo aleje de mí", clamaba para mis adentros.

Empecé a tiritar y le grité: "¡Me quiero morir, me quiero morir!" Y es verdad, para mí ya nada hubiera tenido sentido si me arrancaba a mi chiquito.

Por primera vez me enfrenté con él; mi bebé me dio las fuerzas y la voluntad que había perdido. Pero Sergio siempre vencía, era más poderoso. Lo que hizo acabó por hacerme perder las esperanzas de salir de ahí.

Me encerró en un cuarto vacío: extrajeron todo lo que había en él —excepto, claro, los muebles—, para que no intentara matarme con algún objeto. Pero no fue porque el bebé o yo le importáramos, sólo quería evitar un escándalo. Estuve vigilada todo el tiempo. Sentada en un rincón, llorando sin parar, esperé a que me sacaran de ahí.

Nos cambiamos a Toledo, cerca de Madrid, a una finca llamada "Los Sauces" comprada en los últimos días de noviembre de 1997 y aunque nos mudamos para allá, regresábamos con frecuencia a Madrid. Todas las mañanas Sergio me ponía a correr alrededor de ella, aunque hacía mucho frío; adentro permanecía encerrada en el cuarto de servicio.

A pesar de mi estado, él no dejó de tener relaciones sexuales conmigo ni de agredirme en forma verbal, moral y física. Pese a que me dolía todo el cuerpo, no podía ni toser, no había salida: si me negaba a cualquier cosa que él deseara, me haría abortar o tal vez algo peor.

Le escribí a mis papás y les dije que estaba estudiando en una escuela de música de nombre Manuel de Falla. Les prometí que pasaría la Navidad con ellos. Claro que lo hice por orden de Sergio, sabiendo que no sería así; desde mi llegada al grupo nunca me lo habían permitido. Me sentía muy mal porque se ponía a revisar las cartas; eran tantas las cosas que hubiera querido confiarle a mi familia...

Al principio de mi embarazo, cuando Sergio creía que mi bebé era niña, comía un poquito mejor: me daban una cucharada más de lo que hubiera que a las otras. Pero en cuanto se enteró de que era niño, me puso a dieta y casi todo el tiempo estuve castigada. Entonces no podía dormir, angustiada porque temía que algo malo le sucediera a mi hijo.

Llegó un momento en que no soportaba más la presión, Sergio me reclamaba todos los días que por qué no nacía el niño. Yo le rogaba que me disculpara, que no dependía de mí, pero él respondía que seguro lo hacía por molestar.

Por mi parte, ansiaba que mi hijo naciera para ver su carita, para tenerlo entre mis brazos, y también, para que Sergio por fin ya no estuviera disgustado conmigo. Pero, a la vez, me decía que no quería que naciera porque sabía que en ese momento me lo quitarían. Vivía en una total confusión. Estaba tan sola...

Sergio escogió el nombre de Francisco Ariel para mi hijo. El día que nació, el 12 de diciembre, fue un martirio y, al mismo tiempo, la culminación de mi gran anhelo, de lo que sería la razón de mi existencia.

Me trasladé con Katia a Madrid para que me revisaran; en la clínica, un médico —varón— me puso un aparato para escuchar al bebé. Me advirtió que tenía contracciones y que no me fuera de Madrid, porque el bebé podía nacer en cualquier momento. Pero como Sergio nos había dicho que volviéramos a la finca y teníamos que obedecerlo, así lo hicimos. Al llegar se molestó mucho al enterarse de lo del médico —por su estricta prohibición de tratar con hombres— y me puso a trabajar en la novela que estaba transcribiendo para él a máquina. Me sentía súper mal, con un fuerte dolor de estómago, pero pensé que me había sugestionado por su regaño.

Cerca de las diez de la noche ya no aguanté más y fui a buscarlo. Estaba en una de las habitaciones regañando a Liliana, gritándole barbaridades. Me acerqué a la puerta para avisarle; aunque temerosa, sentía que mi bebé estaba a punto de nacer. Toqué a la puerta y le dije que me disculpara, que no era por molestarlo, pero que creía que ya iba a nacer, que me dolía mucho. Él respondió: "Espérate tantito". Cuando terminó de regañar a Liliana, salimos rumbo a Madrid. Ignoro cómo resistí las dos horas que tardamos en llegar, los dolores eran verdaderamente terribles.

Sergio se bajó conmigo del auto y me dijo que le echara ganas y que a lo mejor el niño podría quedarse; luego se fue, dejándome con Katia; poco después nació Francisco Ariel de parto natural.

Permanecí dos días más internada; luego pasaron por mí y fuimos a desayunar. Ya en el auto, Sergio me preguntó si no se lo iba a enseñar; no entendí su aparente cambio de actitud, pues muchas veces me dijo que no lo quería. Se lo enseñé, al igual que a Gloria, quien dijo: "Es un Karino". Él se limitó a mirarlo.

Viví mucho tiempo angustiada escuchando el llanto desesperado de mi bebé, el cual me partía el alma. Sentía una enorme ansiedad y a veces pensaba que se iba a morir porque sólo podía darle de comer cuando Sergio me lo permitía, por lo general dos veces al día. Por eso lloraba tanto: estaba hambriento y empapado. Tampoco me dejaba ir a cambiarlo. No contaba con pañales desechables; sus pañalitos los hice de camisetas viejas y el único trajecito que se le compró era de recién nacido, no sabía cómo lo vestiría al crecer. Hacía muchísimo frío y me daba terror que se enfermara. Pero no podía hacer nada, estaba atrapada en esa vida infernal.

Pasaba los días transcribiendo a máquina la novela y unos poemas que Sergio escribía y luego me dictaba. Era indispensable que tuviera cuidado en no cometer errores, pues ahora no estaba sólo yo; también a Francisco Ariel podría pasarle algo y en ese caso nadie me defendería, nadie abogaría por mí. Seguía terriblemente sola.

Oraba siempre: "Dios, cuida de mi pequeño, ya que por más que me esfuerzo nunca logro complacer a Sergio y me asusta pensar que un día le haga daño. Quisiera morir pero no puedo abandonar a Francisco Ariel, es lo único que me da fuerzas para seguir. Confío en Ti y en que lo protegerás".

Una vez, al trabajar en sus textos, comencé a tardarme pues la máquina de escribir, que era mecánica, no funcionaba bien. Dos veces me dijo que me apurara porque el niño llevaba todo el día llorando. De verdad que hacía un gran esfuerzo, pero no lo lograba. Entonces, con ira me agarró de los cabellos, me empujó contra la pared y a punta de patadas, bofetadas y empujones, me llevó hasta la última recámara. Ahí me lanzó hasta el rincón y volvió a patearme. Fue una agresión brutal. El dolor era francamente insoportable y hacía tan sólo unos días que había dado a luz. Me decía todo el tiempo que me iba a arrepentir, que si eso era lo que quería, y que jamás volvería a ver a ese niño. Yo le rogaba: "Sergio, perdóname, no es a propósito". Al final me amenazó: "No llores porque vas a ver cómo le va a ir a tu hijo".

Después de un rato regresó con mi bebé, pero antes de dármelo me advirtió que no me saldría con la mía, que era una desgraciada y sólo se me permitiría darle de comer a mi hijo porque ellos no lo iban a estar cuidando.

Ese año viví una Navidad muy amarga. Días antes del 24 de diciembre, Sergio castigó a Karola: debía cargar unas piedras muy pesadas y grandes afuera de la finca "Los Sauces"; como no podía hacerlo, hizo que practicara hasta que pudiera despegarlas del piso. El día de Navidad logró levantar una, pero como el piso estaba lleno de hielo y lodo, se resbalaba. Sergio la presionaba para que se reincorporara y continuara cargándola. Karola estaba vestida con unos shorts y una camiseta, a pesar de que hacía mucho frío y un aire muy fuerte.

Mientras tanto, yo lavaba los pañales de Francisco Ariel, que estaba lleno de llagas porque ni siquiera contaba con alguna de esas cremas especiales para evitar las rozaduras.

Sergio continuaba presionando a Karola; le advirtió que tenía que llevar la piedra al otro lado del terreno, sin que tocara el piso. Ella no podía evitar resbalarse, y para que la piedra no tocara el piso prefería dejarla caer sobre su vientre.

Como se cayó una y otra vez, él se enojó mucho. Me mandó llamar y dijo que le llevara a mi hijo. Era extraño que él quisiera verlo. Se lo entregué y me ordenó que me fuera a mi recámara.

Como la ventana daba justo al sitio donde él estaba, a través de las persianas alcancé a ver que golpeaba a mi bebé de doce días de nacido; desesperada, comencé a llorar. Me sentí tan impotente, fui incapaz de hacer nada; sólo le rogaba a Dios: "Dios, por favor, perdóname".

Sergio lo golpeó para presionar más a Karola para que levantara la piedra. Mi niño pegaba unos gritos despavoridos y yo quería matar a Sergio. "No me importa que me pegue a mí —pensaba—, pero no permitiré que le vuelva a hacer algo a él. Quisiera irme, escaparme, pero ¿cómo? El bebé se moriría. No tenemos a dónde ir, no llegaría lejos, él me encontraría y no quiero ni pensar en cuál sería mi castigo... nuestro castigo."

Después del terrible incidente me devolvió al niño, mandándome decir que a ver cómo le hacía para callarlo. Pasado mucho tiempo logré consolarlo y adormecerlo. Era tan pequeño, tan frágil, al nacer pesó muy poquito: dos kilos ochocientos sesenta gramos. Yo hablaba con Jesucristo y le pedía ayuda, pero seguía muy descorazonada.

A pesar de que el tiempo ha pasado, los recuerdos aún son demasiado dolorosos. Karina no puede contener el llanto al pensar en su hijo. Sin embargo, continúa con su declaración: "Ahora, mañana y dentro de muchos años, voy a recordar con la misma emotividad las cosas que viví y sufrí al lado de Sergio; son hechos que desgraciadamente nunca en mi vida podré olvidar".

En España varias veces Gloria, Katia, Karla, Liliana, Marlene, Sonia, Mary y yo tuvimos que pedir dinero en la calle. La razón para ello era que, según Sergio, no teníamos liquidez; incluso él nos llevaba a los lugares donde debíamos hacerlo. Siempre íbamos en parejas para vigilarnos una a la otra y todo se lo entregábamos a él. En ocasiones nos daban comida que sólo él decidía cómo repartir. Nadie reconocía a Gloria, quien siempre se arreglaba como una señora con el cabello recogido.

Después de Toledo nos cambiamos a la finca "Los Tres Caballos", en Málaga, y ahí mi situación con Sergio anduvo de mal en peor. Mi alimentación era muy pobre: en la mañana comía una cucharadita de arroz y una de acelgas, y en la tarde lo mismo.

Trabajaba todo el día en la máquina de escribir y, para no perder la costumbre él vivía enojado. Y sí, estaba harta de esa vida pero en esos momentos lo primordial era pensar en Francisco Ariel, en hacer las cosas como Sergio lo pedía para garantizar su integridad.

Creo que si me preguntaran cuál ha sido la etapa más fea de mi vida diría que fue ésa: no podía ver a mi hijo, mucho menos abrazarlo o darle un beso; no me dejaban tratarlo como se debe tratar a un bebé.

En uno de sus múltiples castigos, Sergio me ordenó trabajar en el jardín. Tenía que trasladar en dos cubetas el lodo que se encontraba en el canal hasta el final del terreno. Me advirtió que no me ensuciara la ropa y que lo hiciera rápido. Pero no pude evitarlo y me manché. Entonces, decidió que no me vestiría hasta que aprendiera a ser limpia. A partir de ese momento y a pesar de las bajas temperaturas, trabajaba cubierta con una blusa y un pantalón hechos con dos bolsas de plástico para basura y andaba sin zapatos, sin ropa interior, sin nada más que eso.

Por las noches me quitaba el traje de plástico y dormía en el piso desnuda, sentada, abrazada a mis piernas y con el cabello suelto para cubrirme con él y de esta manera protegerme un poco del frío invernal. Mis piernas y mis manos se ponían moradas y se entumían porque estaba helando. La poca leche que arrojaba humedecía y enfriaba más mi cuerpo y mi mandíbula no dejaba de temblar. No lograba conciliar el sueño. Es indescriptible esta sensación, me sentía a un paso de la muerte.

Pero eso no era lo más terrible: me prohibió ver a Francisco Ariel; ni siquiera podía darle de comer, sólo lo escuchaba llorar. Me dijo que, como no había dinero para leche para bebé, le estaban dando leche normal de vaca rebajada a la mitad con agua. ¡Alimentaban a mi hijo como a un perro! No creía aguantar más tiempo así; "algo tengo que hacer —pensaba—. Pero si no hay dinero, entonces, ¿cómo compra sus Coca-Colas *Light*?"

Después de varios días estallé, no toleré más la presión de Sergio, quien constantemente me decía que nunca iba a salir de ahí. No sé cómo fue, pero me atreví a decirle que quería volver a mi casa y ya no deseaba estar con él. Al principio se enojó mucho, pero como yo me mantuve firme, cambió su actitud. Me dijo que no había hecho las cosas por maldad, que sólo pretendía que yo fuera una mejor persona, que me quería mucho y no le gustaría que yo lo dejara. Pero sus "tiernas" palabras no lograron convencerme, seguía decidida a irme.

Al día siguiente salimos en automóvil hacia Madrid Gloria, Mary, Karla, no recuerdo si Liliana, Sergio y yo. Lógicamente, su táctica fue separarme de inmediato de mi hijo, dejándolo a cargo de las que se quedaban, para que no pudiera escaparme. Primero las muchachas, salvo Gloria y yo, tuvieron que pedir dinero en Málaga para la gasolina. Más adelante, en varios poblados pequeños, yo también mendigaba con ellas.

En Madrid, Sergio dijo que quería que fuéramos al Circus du Soleil que estaba ahí en esos momentos. Pude percibir que lo hacía para distraerme y para que desistiera de mi decisión del día anterior. Tuvimos que pedir en la calle, en algunas partes de la avenida Princesa, después en la Gran Vía y en algunas otras calles de la zona, cuidando que no nos viera la policía. Decíamos que éramos un grupo de amigas de Latinoamérica —de Venezuela o algún otro lugar—, que estábamos de vacaciones y

En distintas entrevistas la madre de Gloria ha rechazado categóricamente que su hija se encuentre en algún tipo de problema. Sin embargo, no ignora lo que pasa. Ella misma ha tenido dificultades para ver y hablar a solas con Gloria. Pero, por un lado, no quiere perjudicar su imagen y, por el otro, no quiere dar lugar a que Sergio la maltrate. 14 de febrero de 1998 *La Jornada*

nos habían robado el bolso en McDonald's; que no teníamos ni para comer y la ayuda de nuestros padres demoraría en llegarnos.

Recuerdo bien que ese día Sergio nos llevó a Alcobendas, por donde hay un supermercado, y Gloria ofrecía hacer caricaturas en lugar de que le regalaran el dinero. Pero de cualquier manera a ella le daban enseguida por su facilidad de palabra. Como dije, realmente, con su aspecto descuidado, con el cuerpo gordo —porque comía turrones y otras cosas de la temporada navideña y no hacía nada de ejercicio— y disfrazada de señora nadie la reconoció. Incluso se llegó a pedir caridad en iglesias, a los encargados y a unas monjas, como pasó en Torremolinos. Nos daban desde pan y tortilla española, hasta dinero; todo era entregado a Sergio para que él repartiera los alimentos y ordenara en qué se empleaba el dinero.

Mi lucha conmigo misma inició de nuevo. Me di cuenta de que, como él se jactaba, sería imposible para mí irme del lado de Sergio. Me di cuenta de que podría hacerle algo a mi hijo, o bien sería capaz de no dejarme verlo nunca más. Siempre me dijo que él era muy poderoso, que conocía mucha gente y que a dondequiera que fuera —yo o cualquiera de nosotras— seguro me encontraría. En ese momento decidí que tenía que resistir, que le pediría perdón, rogándole a Dios que me permitiera que Ariel estuviera conmigo. Mis oraciones eran angustiosas: "Dame fuerzas, Dios, para seguir sufriendo este martirio; cuida mucho de mi hijo y permíteme a mí cuidar de él; ya sé que apenas soy una niña pero lo adoro".

En los periódicos se publicó que en España ejercíamos la prostitución. Esa información es incorrecta; lo que hizo pensar de esa forma a las autoridades españolas fueron las cantidades de dinero que el grupo manejaba en España sin tener aparentemente oficio alguno. Sin embargo, el dinero provenía de cuentas que se cerraron aquí en México, de Banorte y posiblemente de otros bancos. Además, Sergio era una persona en extremo celosa y, excepto para salvar su pellejo o lograr algo muy importante para él, no creo que hubiera permitido una situación de este tipo.

Aproximadamente en abril de 1998, Sergio, Gloria y Mary, gracias a Dios, se fueron a México. Y aunque no estaba sola, ya que dejó a las otras encargadas y con instrucciones de vigilarme, me sentía un poco más tranquila. Por lo menos ya no me golpeaba...
Pero esa relativa tranquilidad no duró mucho: llamó Sergio diciendo que debíamos hacer las maletas para que nos reuniéramos todas en Madrid. Él estaba en Argentina; al parecer había tenido problemas con la policía en México. No sé cómo pero logró, junto con Gloria y Mary, llegar a ese país, y ahora nosotras teníamos que ir para allá. Era indis-

pensable que yo tramitara el pasaporte de Francisco Ariel, para que viajara conmigo.

Como era menor de edad no me dieron el pasaporte. Pensé que me volvería loca y sólo acertaba a cuestionarme: "¿Qué voy a hacer con mi hijo, si tengo que irme a Argentina? Le avisaré a Sergio para que me indique cómo obtenerlo sin problemas. Ojalá quiera ayudarme".

Cuando hablé con él me dijo: "Ay, pues lástima; vas a tener que viajar tú sin el niño". Además, me informó que después de Argentina quería que fuera a ver a mis papás, a quienes no visitaba desde hacía tiempo. La idea era que estuviera con mi mamá el 10 de mayo para que no sospecharan nada, claro.

Las órdenes de Sergio fueron explícitas: debía dejar a mi hijo con Katia y Karola de la Cuesta. Lo único que me restaba era rogar que Dios y ellas lo cuidaran bien. Subí al avión sintiendo un enorme vacío. Tuve que aguantar las ganas de llorar. Viajé con Liliana, Wendy y Marlene rumbo a Buenos Aires; allá nos esperaban Gloria y Sergio, quien me daría instrucciones respecto al viaje a mi casa.

Al llegar me sorprendió ver que Gloria había cambiado de look: se cortó el cabello y se lo tiñó de negro, se veía súper diferente. Lo curioso para mí en ese momento era que Mary también había cambiado su aspecto: se tiñó el cabello de rojo y se lo cortó un poco.

Sergio nos platicó que tuvieron un problema en México: la policía los detuvo —aunque no nos explicó muy bien, creo que fue por lo de Aline— y al llegar a Argentina decidieron cambiar su identidad para no ser localizados fácilmente.

Nos trasladamos al hotel donde estaban hospedados y Sergio tuvo relaciones con Marlene, Wendy, Gloria y conmigo.

Esa misma noche partí hacia México, acompañada por Wendy.

Era mayo de 1998 cuando llegué a Chihuahua y pude abrazar a mis papás. Me resultaba muy difícil no hablarles con la verdad, no poder contarles de la existencia de Francisco Ariel. Tenía que aparentar muy bien y anotar todos mis errores para después reportárselos a Sergio. Él siempre se enteraba de todo y aunque estaba sola, él sabría que los cometí y me iría muy mal; incluso podría hacerle algo a mi bebé. Debía seguir sus instrucciones al pie de la letra. Lo único que me hacía sentir menos mal era ver tranquilos a mis padres. Los planes eran que pasaría el Día de las Madres y el cumpleaños de mi papá con ellos y luego regresaría a España por mi hijo.

Estuve casi un mes en casa de doña Justina Sánchez, la mamá de Sergio. Viajé de regreso a España con la intención de traer a Francisco Ariel, pero no me dejaron entrar porque excedí el tiempo permitido para turistas y me deportaron a México. Mi hijo se

El 15 de abril de 1998 salió a la venta el libro *La gloria por el infierno*, escrito por Rubén Aviña a partir de una serie de entrevistas con Aline Hernández Ponce de León, ex corista de Gloria Trevi y ex esposa de Sergio Andrade. 23 de abril de 1998 *Reforma*

En su libro cuenta las humillaciones que soportó al lado de la pareja Trevi-Andrade. Durante la presentación estuvo acompañada por su madre Jossie, su abogado Enrique Fuentes y su editor, el director de Grijalbo Gian Carlo Corte. Aline no sólo denunció los abusos de Andrade en el libro, también interpuso una denuncia contra él.
23 de abril de 1998
Reforma

quedó con Mary, dado que Katia y Karola ya no estaban en el país. Mi chiquito, estaba tan preocupada por él, esperaba y rogaba que Mary lo tratara bien.

En México tuve que acatar las órdenes de Gloria y Karla. La primera vino para presentarse en varios programas con el objeto de desmentir las acusaciones de Aline; obviamente, se volvió a teñir el cabello de su color y utilizaba extensiones de peluca, porque, según comentó, en el contrato que firmó con Televisa se estipulaba que no podía cambiar su imagen.

En el juzgado Karina describe dónde ocultaba Sergio documentos y fotografías en las distintas propiedades en que ella vivió: "En la Casa Rosa estaba el cuarto de máquinas de la alberca con una puerta de fierro o lámina que conducía a una habitación donde se guardaban documentos personales y fotografías. En el terreno contiguo a la casa de Playa Blanca había un rectángulo de cemento cubierto con arena para que no llamara la atención. Adentro guardaban papeles importantes y comprometedores. Muchas veces me tocó supervisar la destrucción y quema de papeles y fotografías".

Pasaba todo el día en una habitación revisando y destruyendo cartas, fotografías y papeles personales de Sergio que pudieran perjudicarlo en su defensa de las acusaciones de Aline. Vi muchísimas cartas, como las que yo le daba. En unas estaba escrito: "No debo desobedecer nunca a Sergio" y en otras decía: "No debo mentirle nunca a Sergio

Andrade". Otras hablaban de los castigos. Yo le dirigí muchas cartitas diciéndole que jamás quería volver a ver a mis papás aunque, desde luego, no era cierto, pero eso era lo que se tenía que hacer en el grupo. También había muchas hojas en blanco firmadas por Guadalupe Carrasco, Karla y Katia de la Cuesta.

También encontré unas fotos Polaroid donde aparecían Gloria y Mary totalmente desnudas; se veían mucho más chicas, como cuando estaban en "Boquitas Pintadas". Se las llevaron, junto con todo lo demás. Por las noches llegaba Gloria con su hermano, les entregaba todo en bolsas de plástico y se suponía que lo quemaban en una carretera.

Ademas, tenía que ver los programas de televisión donde hablaran de ella y de Sergio, anotar todo lo que se dijera y entregarle mis notas a Gloria, para que ésta supiera cómo defenderse. Doña Justina afirmaba que querían crucificar a su hijo; que todas éramos unas malditas y perversas, que la gente le había hecho mucho daño y Aline era la peor de nosotras.

En entrevista en el programa *Hoy Mismo*, el 27 de abril, Gloria reaparece después de varios meses y desmiente que Sergio la tuviera secuestrada. Dijo estar en Italia grabando un disco. Califica el libro de Aline como "una guerra de televisoras"; añade que Andrade tiene cáncer y que es una buena persona, fundamental para su carrera.
5 de mayo de 1998
TVynovelas

Karina también le explicó al juez que mientras ella estaba en el hogar de doña Justina: "Katia, Gloria, Wendy y Sonia se ocupaban de limpiar las casas donde habíamos vivido. Tenían que destruir todo lo que pudiera ser comprometedor para Sergio. Gloria concedió varias entrevistas en las que habló bien de él. Por otro lado, en una ocasión Wendy y Sonia llevaron archiveros y documentos a casa de la mamá de Sonia en Pachuca, Hidalgo".

125

BMG Ariola lanza un disco con dos canciones inéditas de Gloria Trevi, que fueron grabadas en 1997.
26 de mayo de 2000
Cronología en Reforma
(deperiodist@s)

Y aclara cuál era la finalidad de que firmaran hojas en blanco: "Estas hojas eran para que Sergio pudiera protegerse en caso de que alguna de las personas se fuera y dijera todo lo que sucedía".

A su regreso a México en 1998 Gloria fue a BMG, su compañía disquera. Llevaba mi pasaporte para supuestamente tratar de conseguirme un permiso para entrar a España como parte de su equipo de trabajo. El pretexto sería que deseaba grabar algo de su material con música flamenca. Les pidió una cantidad de dinero como anticipo, creo que cien mil dólares pero cuando le entregaron el cheque lo devolvió para que se lo dieran en otra moneda (no recuerdo si era de pesos a dólares o viceversa). Sin embargo, la compañía ya no quiso entregárselo de nueva cuenta por los rumores que corrían. Con esta decisión se salvaron ya que antes de que Gloria viajara estábamos todos en Argentina y yo la escuché platicar con Sergio de que necesitaban ese dinero; decidieron que lo pedirían y ya no volverían a México. Si acaso algo les resultase mal le darían a la disquera material que no se hubiera escogido para discos anteriores y que tenían guardado. Por supuesto que no me consiguió el permiso para entrar a España.

En septiembre de 1998 regresé a mi casa. Sergio me dijo que iría a México porque necesitaba una carta notarial de mis padres deslindándolos a él y a Gloria de toda responsabilidad respecto a mí; que

126

ella hablaría conmigo para explicarme el procedimiento a seguir y me mandaría por fax el texto de la carta para que yo les informara cómo debían redactarla. El aspecto más difícil era conseguir que accedieran a declarar que ellos dieron su autorización para ser incluida en el calendario *Las chicas de la prepa* (tanto para que yo posara como para su publicación y venta). Esto, obviamente, no era cierto. Gloria me indicó que yo asumiera la responsabilidad diciéndoles que en un principio falsifiqué su firma porque no podía ir a Chihuahua sólo para que me firmaran eso y que si ellos no reconocían ahora esa firma como suya me vería en graves problemas. Me dijo: "No puede haber forma de que no te la den".

Me enviaron el texto por fax y la carta, además de lo que ya mencioné, decía que mis padres estaban conformes y contentos con el trato que se me había dado, así como por mi desempeño dentro del grupo de Gloria Trevi y Sergio Andrade, quienes "eran unas finas personas". (Curiosamente, esas palabras se repetirían más adelante en labios de Katia y Karla cuando las entrevistaron en Brasil, luego de la detención de Sergio, Gloria y Mary; entonces se refirieron a éstos como "personas muy finas" o "finísimas personas". Lo mismo ocurrió a mi llegada cuando, por instrucciones de Gloria y Sergio, dije ante los medios que ellos eran "finísimas personas". Una buena prueba de que la carta no fue redactada por mis padres.)

Hasta 1999 se reconoce que la imagen de Karina fue incluida sin autorización en el calendario *Las chicas de la prepa*; entonces contaba con sólo catorce años y posó en bikini para las cámaras de Sergio Andrade. 15 de abril de 1999 *El Heraldo de Chihuahua*

Después de discutir bastante con mis papás, de llorar y hacer todo por conseguir lo que se me había ordenado, logré convencerlos y obtener la dichosa carta notarial. Además, les dije que Gloria vendría a Chihuahua para hablar con ellos personalmente y así se asegurarían de que todo estaba bien.

En efecto, Gloria llegó acompañada de Karla de la Cuesta y, mientras comíamos en un restaurante, buscando distraer a mis padres les sugirió que me organizaran una fiesta de quince años, a pesar de que ya los había cumplido; que ella sería mi madrina y me compraría un vestido precioso. Incluso le dijo a mi mamá que empezara a buscar un lugar adecuado para el festejo. Desde luego, eso les levantó el ánimo, pues pensaron que en unos cuantos días volvería para dicho evento, el cual nunca se llevó a cabo. Gloria también les solicitó una copia del video de la comida que se hizo en casa de mi abuelita, para utilizarlo en su defensa respecto al caso de Aline. Aprovechó la ocasión para enseñarles unas cartas de ésta dirigidas a Sergio, donde expresaba maravillas de él, así como su gran amor; sin duda, eran como las cartas que todas teníamos que escribir, precisamente para que ellos estuvieran protegidos.

Por su parte, Karla me dio dos mil pesos para los gastos de la carta notarial.

Antes de llevarlas al aeropuerto, fuimos de visita a casa de mi tía Martha, a la cual también le enseñó las cartas.

En esa ocasión yo llegué y regresé sola a la Ciudad de México, veinticuatro horas después que ellas. Sin embargo, al igual que la primera vez que estuve a solas con mi familia, no podía decirles cuál era la verdad ni intentar quedarme en Chihuahua porque mi hijo estaba en España y ellos podrían hacerle daño.

Antes de viajar a Buenos Aires al día siguiente, me hicieron un cheque por cincuenta mil pesos, el cual cobró Karla en Bancomer; luego me entregó el dinero en efectivo y a Wendy le dieron otra cantidad similar. Siguiendo instrucciones precisas, lo cambiamos a dólares y salimos hacia Argentina ese mismo día. A nuestra llegada le entregamos el dinero a Sergio.

Nuestra hija se fue de Chihuahua antes del día de su cumpleaños —explica la madre de Karina—, casi tenía dieciséis. Los días que estuvo con nosotros fueron muy intensos.

Escuchamos algunas de las entrevistas que le hicieron a Aline Hernández por su libro. No podíamos creer todo lo que decían. Hablamos con Kari muy en serio y ella afirmó que eran mentiras; por más que le insistimos, llorando respondió que no creyéramos nada de lo que esa muchacha alegaba. Sin embargo, nos preocupó sobremanera; estaba muy delgada y se veía mal; su llanto era profundo y conmovedor. Presentía que algo no estaba bien con ella; le dije que la llevaría al médico pero no quiso y llorando protestó: "Si me llevas al médico nunca volverás a verme". No tuve más remedio que pedirle que en diciembre ya se quedara a vivir aquí. Me prometió que lo haría.

El 12 de octubre de 1998 la embajada de México en España es informada de que en las instalaciones de Protección al Abandonado en la ciudad de Madrid se encuentra un niño cuya madre se supone mexicana, y piden ayuda para localizarla.
9 de abril de 1999
El Heraldo de Chihuahua

Luego llegaron Gloria y Karla y fuimos a recibirlas al aeropuerto. Gloria nos pidió una carta para defenderse de las calumnias que, según ella, escribió Aline, pues ninguno de nosotros había leído aún el libro. Confiamos en ella. Esperábamos que pronto se resolviera todo ese problema y que Kari regresara para Navidad. Gloria incluso nos animó a celebrar los quince años de mi hijita, aunque fuera en forma retrasada.

Me sentí muy mal al dejar a mis padres para regresar a Argentina, pero ¿qué otra cosa podía hacer?

Por cierto, recuerdo que en una ocasión en Buenos Aires estábamos reunidas Gloria, Wendy, Katia, Karola, Karla, Liliana, Marlene, Sonia y yo con Sergio en una casa horrible, sin muebles; sólo había dos colchones y cuatro sillas con una mesa. Él tuvo relaciones múltiples con todas. Por eso nuestras instrucciones eran que debíamos tener siempre cerradas las ventanas y cuidar de no dejar ver el interior al abrir la puerta.

La buena noticia para mí en esos momentos era que iba a llegar Mary; me brillaron de alegría los ojos cuando me enteré. "Seguro consiguió sacar a mi hijo de España y lo traerá", me decía jubilosa. Pero Mary llegó sin mi bebé y casi enloquezco. Era lo peor que podían hacerme. ¡Quería a mi niño!

Sergio me explicó que Francisco Ariel estaba internado en un hospital porque se puso malito; al parecer no era nada grave, me informó y añadió que no me preocupara. Pero cómo podría no preocuparme si se trataba de mi adorado bebé y estaba enfermo. Lo extrañaba mucho y estaba muy angustiada.

Me aseguró que cuando fuera dado de alta lo recogería nuestra vecina, cuyo nombre no recuerdo, o la arrendadora del lugar, Francis Vidal, y luego iríamos por él.

El 13 de octubre de 1998 —narra la madre de Karina— mi esposo recibió una llamada de la Secretaría de Relaciones Exteriores preguntándole si la menor Karina Yapor era hija nuestra y si estábamos enterados de que había tenido un hijo en España. Al contestarle Miguel que no lo sabíamos, la licenciada Olivia Bañuelos le informó que, por tratarse de un asunto delicado y debido a que él estaba discapacitado, ella iría a la casa para explicarnos.

Mi esposo, quien todavía estaba acostado y que siempre contesta porque en su recámara tiene un aparato, me llamó y por el tono de voz presentí que algo malo había sucedido. Me explicó los hechos y de pronto sentí que me faltaba el aire, que se me fue la sangre del cuerpo. Caminaba como loca por la casa, me estrujaba el cabello y me friccionaba las manos con gran angustia.

Después de un tiempo y al ver que no llegaba la licenciada, temblando desesperada, salí corriendo a la calle para ver si me encontraba con ella. Entré en un estado de histeria y sollozando gritaba: "¿Qué le pasó a mi hijita? ¿Estará muerta? ¿Por eso tienen que decírnoslo personalmente? ¿Por qué tuvo un niño tan chiquita?"

Me preguntaba qué pudo haber pasado para que ahora viniera alguien a decirnos que nuestra pequeña ya era madre. Eran tantas y tantas las preguntas, las dudas, los sobresaltos que pasaban por mi mente, que quería salir

El 13 de octubre, la delegación de la Secretaría de Relaciones Exteriores en Chihuahua recibe la notificación para la búsqueda de familiares del niño y avisa a los padres de Karina.
9 de abril de 1999
El Heraldo de Chihuahua

El niño
Francisco
Ariel Yapor
estuvo
diecinueve
días en un
hospital de
Madrid,
desde el 24
de junio de
1998, por
desnutrición
grave
causada por
abandono.
9 de abril de
1999
*El Heraldo
de
Chihuahua*

corriendo y pedir auxilio a todas las personas para que se pusieran a buscar a mi hija y me dijeran: "Señora, su hija está bien, está viva".

La angustia y la desesperación me invadieron y no era para menos: nosotros le habíamos permitido a mi hija vivir con personas que considerábamos respetuosas, pensando siempre que se encontraba bien, haciendo lo que le gustaba... y ahora me daban esta noticia.

Estaba a punto de tirarme al suelo y, mirando al cielo, rogarle a gritos a Dios: "¡Señor, por lo que más quieras, haz que mi hija aparezca; por favor, que no esté muerta!" Como si el Señor me hubiera escuchado, en un automóvil rojo llegó la licenciada y se estacionó frente a la casa. Yo me dirigí a recibirla, rogando que no fuera a darnos una mala noticia.

A grandes rasgos ella nos explicó que les llegó un comunicado de la embajada de México en España para que intentaran localizar a una familia Yapor de Chihuahua. Que su hija menor dio a luz a un niño en la Clínica Belén, el cual fue entregado en condiciones críticas, al borde de la muerte, a un hospital llamado La Paz. Que, una vez recuperado, lo trasladaron a la Casa de los Niños. Que si nosotros lo queríamos tendríamos que realizar los trámites y presentar la petición por escrito para que lo repatriaran y nos lo entregaran; de no ser así, podría ser dado en adopción. También sugirió que solicitáramos su colaboración para iniciar la búsqueda de nuestra hija y lograr que ella volviera al hogar.

Cuando se marchó, mi marido me calmó y decidimos esperar a nuestro hijo para juntos decidir qué hacer. Determinamos que como Karina nos prometió que vendría en Navidad para quedarse más tiempo con nosotros, cuando llegara la detendríamos aunque fuera con cadenas. (Hablo de cadenas porque siempre que le tocaba a mi hija el tema de quedarse veía el pánico en su rostro y comenzaban por su parte las discusiones y las argumentaciones de que no iba a perder los estudios que con tanto sacrificio consiguiera en España por medio de una beca.) Asimismo, decidimos mantener el secreto porque temíamos por la integridad de la niña. Sin embargo, no pasaría mucho tiempo antes de que redactáramos una carta solicitando la custodia de nuestro nieto y, al mismo tiempo, la colaboración de la Secretaría para la localización de Karina.

Cuando le preguntaba a Sergio por mi hijo se molestaba mucho y me respondía que cuantas más preguntas le hiciera, menos información me daría. Estaba francamente desesperada, no sabía a quién recurrir. Como él no sentía lo mismo que yo, como le tenía sin cuidado, le parecía fácil exigirme que estuviera tranquila, lo cual era por completo imposible.

Desde luego, yo ignoraba lo que sucedía con mis padres y con Francisco Ariel en esos momentos.

> Karina explica ante el juez por qué viajaron a esos países latinoamericanos: "Sergio decidió ir a Brasil y Argentina porque consideró que allá era más difícil que las autoridades nos encontraran. Además, en Argentina podía tener mayores facilidades para adquirir inmuebles y automóviles debido a la nacionalidad de Liliana. Por otro lado, en Brasil, según él, no existía tratado de extradición con México".

La creencia de Sergio de que en Brasil estaría a salvo se fundaba en que antes de viajar a ese país, vio en varias ocasiones una película que le gustaba mucho, llamada *Prisionero en Río*, que trataba de un hombre que robó un tren en Inglaterra y se re-

Seis días antes, "Mary Boquitas" ostentándose como su tía, lo había dejado en el servicio de guardería permanente. Después fue colocado en el orfanato La Casa de los Niños, de donde Mary pretendía recuperarlo con una carta de Karina.
9 de abril de 1999
El Heraldo de Chihuahua

fugió en Río de Janeiro, de donde jamás pudieron extraditarlo. También escogió esta ciudad por gozar de una gran afluencia de turistas, lo cual permitiría que pasaran desapercibidos.

Un día cambió unos cheques de viajero por cerca de diez mil dólares, rentaron dos autos y viajamos a Córdoba. Ahí vivimos en la calle Anta, esquina Cabero, en el barrio Quebrada de las Rosas.

Liliana y Wendy trabajaban en el establecimiento de helados "Bariloche". Sonia, Katia, Marlene y yo (también Liliana y Wendy en sus ratos libres) trabajamos en parejas vendiendo en la calle tortillas que hacíamos nosotras y los helados llamados Sweet Lupita, que preparaba Sergio (con nuestra ayuda) y cuyo logo diseñaron Gloria y Liliana.

Karla y Sonia estaban embarazadas.

Días después, Karla fue a hacerse un chequeo por órdenes de Sergio, pues ya hacía tiempo que no sentía el movimiento del bebé. Los médicos le informaron que había muerto, por lo cual la internaron para extraer el producto, practicarle una autopsia, y así saber los motivos del deceso. Meses antes, según expresó Karla, mientras acompañaba en México a Gloria, ésta la obligó a ponerse una faja muy apretada todo el tiempo y la sometió a una rigurosa dieta para que no se notara su embarazo. Como era de esperarse, Sergio no aceptó este razonamiento como una posible causa de la pérdida del bebé porque siempre defendió a Gloria a capa y espada y no quería que la responsabilidad recayera sobre ella. En cambio, sí regañó y cuestionó durante varios días a Karla respecto a la posibilidad de que ella, de alguna manera, se hubiese provocado ese aborto, a lo cual ella, como es lógico, contestó que no. Cuando se le informó a Sergio que debían recogerse los resultados de la autopsia, no lo permitió; yo creo que intentaba evitarle a Gloria cualquier problema.

En noviembre de 1998 nació Antonia, hija de Sonia, y fue registrada en la ciudad de Córdoba como hija de madre soltera, igual que mi Francisco Ariel, a quien cada día extrañaba más.

Sergio se empeñó en que yo hiciera ejercicio hasta adquirir el aspecto físico de una campeona de fitness, llamada Mina Lessig, que apareció en una revista. Para ello contaba con tan sólo treinta días. Por supuesto, era una meta imposible dado que ella desde pequeña fue campeona de gimnasia y tuvo la alimentación adecuada, en tanto que yo no disponía de los aparatos necesarios ni la nutrición requerida, mucho menos fui gimnasta.

Pasaba el día entero haciendo ejercicios extenuantes, hasta que Sergio me ordenara alguna otra cosa. A falta de un gimnasio, me mandó decir con Sonia que me recostara de la cadera a los pies sobre la cama y doblara el resto de mi cuerpo hacia atrás, lo más cerca del piso, cargando una maleta grande llena de libros. Además, debía cargar una reja formada por tiras de cemento (de unos ochenta por setenta centímetros, no puedo precisarlo), levantarla por encima de mi cabeza y bajarla a la altura del pecho.

Ahora sufro de la columna vertebral por esos ejercicios tan tremendos a los que me sometían. De igual manera, tengo una gran cicatriz en mi pie derecho pues un día, al no poder sostener la reja de cemento, se me cayó encima.

Según él, empezó a alimentarme un poco mejor, ya que sabía que de otra forma era más remota la posibilidad de lograr la complexión que me solicitaba: me daba dos huevos crudos en la mañana y un licuado de leche, azúcar y la cáscara del huevo (que según él era muy nutritiva). Debía tomar también como mínimo cuatro litros de agua al día, lo cual me afectaba porque constantemente necesitaba ir al baño y eso se contraponía con las instrucciones de hacer ejercicio de sol a sol, a menos que tuviera que salir a vender.

En cierta ocasión, después de comer, me di cuenta de que no había tomado ni siquiera dos litros de agua —los medía con una botella de refresco—; en mi desesperación, agarré la botella y la bebí sin parar hasta que terminé. Como tenía que reanudar el ejercicio, me invadieron las ganas de vomitar y arrojé un poco de agua.

Al enterarse, Sergio se molestó mucho y me dijo que no me volvería a dar ni un gramo de alimento más del "normal" y que esperara para saber cuál sería mi castigo. En esos momentos alguien le reportó que Liliana todavía no terminaba de comer pues al parecer no le había gustado el caldo de huesos (preparado con los que quedaban después de que Sergio comía carne o pollo) que en algunas ocasiones se nos daba. Se enfureció y les preguntó a Gloria y a Mary qué sería bueno para que Liliana escarmentara. Decidieron que había que servirle mucha más comida hasta que vomitara y tuviera que comerse todo su vómito. Como yo tenía un castigo pendiente, Sergio concluyó con otra de las muchachas que para "arreglar el problema" debería comer diez cucharadas del vómito de Liliana. Y, claro, así lo hice.

Como era de esperarse, todo este régimen no dio el resultado esperado y, aunque mi estado físico sí mejoró un poco, esto no complació a Sergio porque no llegué a estar como Mina Lessig. Me regañó, lloré y me castigó de nuevo: cada vez que llorara Antonia, tendría que calmarla aunque yo estuviera comiendo o haciendo cualquier otra cosa; debía cambiarle los pañales y lavarlos, aun en la madrugada; además, tendría que avisarle a Sonia a determinadas horas que era el momento de dar de comer a la bebé.

El 31 de diciembre, Sergio, Gloria, Mary, Karla y Karola viajaron en avión a Sao Paulo, Brasil. Las demás nos quedaríamos en Córdoba unos quince días más.

Katia, Liliana, Wendy, Marlene, Sonia, Antonia y yo viajamos a Río de Janeiro. Sergio ordenó que acabáramos todo lo comestible que hubiera en la casa; para obedecerlo tuvimos que mezclar las especias con agua y tomárnoslas y, durante el camino, comer varias cucharadas de sal, que se consideraba comestible.

> Karina narra en el juzgado cómo eran algunos de los castigos que padeció mientras vivió con el grupo en Brasil: "Sergio nos castigaba con la comida. En Pedra de Guaratiba implementó los planes A, B y C. El A era para las personas que tuvieran menos problemas con Sergio, o ninguno, y podían comer lo mismo que él, sólo que en menor cantidad. El B para quienes tuvieran algún problema no muy grave y su comida sería menos apetitosa que la anterior. El plan C era para las que tuvieran muchos problemas con él: comerían las sobras de cualquier cosa; por ejemplo, cáscaras de naranja, el centro de los tomates, semillas, comida de días anteriores, todo cocinado con azúcar, dejándolo con caldo y preparado por el propio Sergio".

En Río nos reunimos con Sergio y las que habían viajado con él; los seguimos a Pedra de Guaratiba, un poblado que está como a veinte minutos. Aquí Liliana y Mary (haciéndose pasar por argentina y tía de Liliana, bajo el nombre de Carmen) rentaron una propiedad de tres pisos, junto a un maloliente lago. El lugar era muy feo y tuvimos muchos problemas porque Sergio estaba sumamente molesto, ya que yo, sin contar con despertador y agotada por todo lo que hacía en el día, me quedé varias veces dormida sin poder avisarle a Sonia en la madrugada que ya era hora de alimentar a su hija.

Como lección me mandó a la llamada "Casa del Pescador", localizada en la parte trasera de la propiedad, junto al lago: debía permanecer ahí todo el día, con la escasa luz que se filtraba por las tablas que cubrían la ventana y por el techo de tejas, y sólo podía asumir cuatro posiciones: en cuclillas, sentada con las piernas cruzadas en forma de flor de loto, hincada erguida e hincada prácticamente sentada sobre mis piernas. En la noche, cuando ya me decían que podía acostarme, me echaba en el terroso suelo, donde las cucarachas y otros insectos caminaban encima de mí, sin que pudiera ahuyentarlos o matarlos porque no tenía autorización para ello. Recibía comida del plan C.

Sin embargo, lo más terrible era que en esos momentos realmente yo creía merecer todo aquello y que Sergio no tenía la culpa de nada.

Después de varios días de castigo, me entregaron un reloj y Sonia me indicó a qué hora la despertara durante la noche. Me dieron la oportunidad de arreglar la dificultad y, como consecuencia, no podía dormir por la preocupación de que me sucediera lo mismo.

Ya que hice bien las cosas, Sergio me mandó estudiar con Mary tres sonatas de Mozart, y tenía autorización para dormir en una de las recámaras del segundo piso, pero no salir de ahí hasta que interpretara por lo menos la primera perfectamente bien. Pasaba todo el día estudiando.

Cuando presenté la sonata como él la quería, se me permitió bajar e incluso participar en unos concursos de cultura general o de cuestiones físicas que organizaba Sergio, y que casi siempre tenían como premio para el primer y segundo lugares un hot dog, galletas o algo de comer mejor que lo que acostumbraban darnos. Yo sentía un gran deseo de ganarlos (de hecho, sí lo logré en ocasiones) por lo motivante que era para mí el premio. Otros concursos consistían en beber una botella de dos litros de agua en el menor tiempo posible, o subir y bajar las escaleras varias veces a gran velocidad. En ocasiones podíamos canjear el premio por reducir un poco nuestros castigos, si éstos no eran tan graves. Para las personas que estábamos castigadas por problemas no graves era un privilegio chupar los residuos de comida de las ollas, sartenes o cualquier traste, que él nos mandaba limpiar de esta manera antes de lavarlos.

Al observar un comportamiento extraño en Karla Sergio nos llamó a todas para decirnos que si a alguna se le ocurría escapar o traer a la policía, o si en cualquier momento ésta nos encontraba, antes de que las autoridades entraran él se mataba y con él las que quisieran hacerlo. Todas dijimos que lo haríamos, porque, al menos en mi caso, si decía otra cosa se enojaría y no quería por nada del mundo que me castigara o le hiciera algo a mi Arielito, mi adoración, a quien anhelaba tanto tener pronto entre mis brazos.

Mandó comprar unos instrumentos musicales; tenía la intención de que aprendiéramos a tocar pues decía que necesitaríamos ganarnos la vida de alguna manera y en Brasil, no sé por qué, ya no vendíamos ni los helados ni las tortillas. Liliana y Karla tocaban la zabumba; Mary tocaba la guitarra y cantaba; yo era segunda voz; Karola tenía a su cargo la botella de arroz y el pandero. Ocasionalmente intercambiábamos instrumentos o participaba alguna otra persona, como Gloria, Wendy, Katia y Sonia.

Por cierto, en esa época Karola y Karla estaban embarazadas de nuevo.

Se escapó Karla, después de varios días de castigo por parte de Sergio. Todos, salvo Marlene, Sonia y su hija, nos cambiamos al hotel Praia Linda en la playa de Barra da Tijuca. Sergio actuaba muy nervioso y maldecía a Karla; nos preguntaba qué hacer para encontrarla rápido, antes de que dijera nada. Mandó a Katia a hablar por teléfono con sus papás para saber si Karla les había hablado y contado algo de lo que vivíamos. También se metió a ver una película al cine con algunas de nosotras, pues razonaba que si alguien lo buscaba no lo haría en un cine. Yo estaba segura de que la encontraría. Toda la situación fue horrible; luego mandó a Katia y a

Liliana a buscarla en el automóvil, con instrucciones de que si la encontraban y estuviera con otras personas, dijeran que era hermana de Katia y que tenía problemas mentales. Que se había salido de la casa por una discusión, pues su novio la había golpeado y ella no lo quería dejar. Tenían que localizarla y traerla a como diera lugar. Mientras tanto, mandó a Mary y a Wendy a la embajada mexicana a esperar su aparición allí.

Después de tres días Katia y Liliana la encontraron y no sé qué le habrán dicho, el caso es que la convencieron de que regresara.

Nos mudamos a Araruama, donde vivíamos en una casa rentada. Sergio decidió no regresar a Pedra de Guaratiba.

Desde que llegamos todo fue de mal en peor. Primero estuve varios días arrancando la hierba mala del terreno, podando los árboles, limpiando la alberca y cortando el pasto. Después se me mantuvo en un cuarto estudiando el teclado muchas horas al día, sin poder salir. Cuando le presenté bien las piezas a Mary, Sergio me llamó para castigarme con la baqueta de la zabumba y después tuvo relaciones con Marlene y conmigo.

El 28 de febrero de 1999 Gloria y Sergio celebraron su aniversario; cumplían catorce años juntos. Esa mañana él me ordenó que preparara un número musical y otro cómico para divertir a ambos por la noche. Quiso que tocara la guitarra y les cantara; yo sabía algo de piano, pero la guitarra no es lo mismo. Desesperada, comencé a ensayar la canción "Todo cambia". Lo de los chistes resultaba más difícil, no recordaba ninguno después de tantos años fuera de mi casa; de hecho, se lo dije a Sergio y él me respondió: "Pues a ver cómo le haces, o los inventas o a ver qué, pero a mí me tienes que contar chistes y hacerme un número".

Cuando empecé a cantar y a tocar, él se echó a reír y se puso a murmurar cosas con las que estaban sentadas a la mesa. Me sentí súper mal. Me dijo: "Te enojaste, ¿verdad?" Hice un gesto indicando que me sentía mal, pero no que estaba molesta.

Me dijo que seguro estaba enojada con él y aunque le insistí en que no era así, él siguió con lo mismo horas y horas, hasta que le dije: "¿Sabes qué, Sergio? Sí me enojé". "Eres una desgraciada, mentirosa y desleal, pero ahorita vas a ver cómo te va a ir", me gritó enfurecido. De inmediato le rogué que me disculpara, que en realidad no era así, que sólo me había sentido mal por no haber ejecutado el número correctamente y que si le había dicho que sí me enojé fue porque sabía que de otra manera él no me creería. Pero se molestó más.

Me advirtió que luego hablaríamos para definir mi castigo.

El 24 de marzo de 1999 los padres de Karina presentaron una denuncia de hechos (601-4053/99) en Averiguaciones Previas en Chihuahua, ejerciendo la patria potestad sobre su hija, ya que la consideraban desaparecida.
29 de abril de 1999
El Diario de Chihuahua

Llegó diciembre y Karina no vino —sigue relatando la atribulada madre—. Como era de esperarse, los tres estábamos tristes y angustiados. Sin embargo, no recuerdo si antes o después de Navidad, mi hija supuestamente habló a la casa para avisarnos que no había podido venir, pero como nadie estaba en casa (cosa rara porque solíamos estar al pendiente del teléfono y de sus llamadas), se comunicó con una prima y le pidió que nos avisara que llegaría en enero.

Esperamos su llegada en enero, cosa que no sucedió, y en febrero tampoco. Entonces, tomando en cuenta lo del niño y las irregularidades de la situación —la falta de comunicación con Karina, el hecho de que no llegara cuando lo prometía—, decidimos recuperar a nuestra hija por medio de las autoridades e hicimos una denuncia. Estábamos ansiosos y desesperados de no poder verla con la regularidad con que cualquier padre quiere ver a sus hijos y convivir con ellos. Sabíamos ya que sólo así podríamos recuperarla y ése era nuestro único objetivo.

Fueron pasando los días y los meses entre angustias, tristezas, tensiones y un gran cansancio, físico y psicológico, provocados por la falta de noticias de Karina y por no lograr la custodia de nuestro nieto Francisco Ariel. Se especulaba que si en determinado tiempo no reuníamos los requisitos de las autoridades españolas, el niño sería dado en adopción y no habría posibilidad de recuperarlo. Fue un gran desgaste porque mi esposo y yo tuvimos que someternos a varios exámenes psicológicos aplicados por el DIF del estado de Chihuahua.

Mi esposo tiene un primo, Roberto, a quien considera su hermano, que le llama por teléfono todos los días para charlar. En marzo, no recuerdo el día, Roberto notó muy angustiado a Miguel y preguntó la razón. Ya no pudimos ocultarle lo que estaba sucediendo y al enterarse, de inmediato se puso en contacto con un buen amigo suyo, el li-

YO SEÑOR MIGUEL JORGE YAPOR OLLERVIDEZ Y MI ESPOSA LA SEÑORA TERESITA DE JESUS GOMEZ, PADRES DE LA MENOR KARINA ALEJANDRA YAPOR GOMEZ, QUIEN DESDE PEQUEÑA MANIFESTO INQUIETUDES Y APTITUDES ARTISTICAS; POR LO QUE CONTO CON NUESTRO APOYO Y CONSENTIMIENTO PARA CAPACITARSE ARTISTICAMENTE, RAZON POR LA QUE SOLICITAMOS A LA SEÑORITA GLORIA TREVIÑO RUIZ, CONOCIDA EN EL MEDIO ARTISTICO COMO "GLORIA TREVI" QUIEN ES AMIGA DE LA FAMILIA DESDE HACE YA VARIOS AÑOS LA OPORTUNIDAD DE QUE NUESTRA HIJA TUVIERA LA POSIBILIDAD DE ESTUDIAR CLASES DE MUSICA, CANTO, BAILE Y ACTUACION EN LA EMPRESA ARTISTICA QUE REPRESENTA A ESTA ARTISTA. A FINALES DEL AÑO DE 1994, NUESTRA HIJA INICIO SU CAPACITACION ARTISTICA EN LA CIUDAD DE MEXICO, QUEREMOS HACER NOTAR QUE EN EL TIEMPO QUE ESTUVO NUESTRA HIJA KARINA ALEJANDRA YAPOR GOMEZ, CON LA SEÑORITA "GLORIA TREVI" Y/O GENTE DE LA EMPRESA MENCIONADA FUE TRATADA CON RESPETO, DIGNIDAD, PROFESIONALISMO Y HONESTIDAD, CUIDANDO ELLOS Y TAMBIEN NOSOTROS SU INTEGRIDAD FISICA, MENTAL Y MORAL, NO SOLO COMO NUESTRA HIJA LO DICE, SINO TAMBIEN COMO NOSOTROS LO HEMOS CONSTATADO; Y NO DE AHORA, YA QUE ESTUVIMOS PENDIENTES SIEMPRE DE NUESTRA HIJA KARINA ALEJANDRA YAPOR GOMEZ, POR SER ELLA IHJA DE FAMILIA CON PRINCIPIOS Y VALORES MORALES Y RELIGIOSOS, BIEN DEFINIDOS, SIEMPRE HEMOS SIDO UNA FAMILIA MUY UNIDA, NUESTRA HIJA ES BIEN AMADA, AL IGUAL QUE ELLA SIEMPRE NOS HA PROFESADO CARIÑO Y RESPETO, POR OTRA PARTE NUESTRO TRATO CON EL SEÑOR SERGIO GUSTAVO ANDRADE SANCHEZ FUE CORDIAL Y RESPETUOSO, SINTIENDO POR EL, EL AFECTO QUE SE LE TIENE AL MAESTRO DE UN HIJO, COMO ES EL CASO DE KARINA, QUIEN TUVO OPORTUNIDAD DE APRENDER

Copia de la carta notarial en la que se certifica que han estado contentos durante el tiempo que Karina ha permanecido con ellos junto con otros alumnos; que nunca ha hecho nada fuera de su voluntad y que les avisó del calendario.

SOLFEO Y PIANO, JUNTO CON OTROS ALUMNOS, SINTIENDONOS SATISFECHOS ANTE LOS RESULTADOS DE SUS ESTUDIOS.

NUESTRA HIJA KARINA ALEJANDRA YAPOR GOMEZ DESEA HACER CONSTAR QUE NUNCA HIZO NADA EN CONTRA DE SU VOLUNTAD, QUE SU PARTICIPACION EN EL CALENDARIO FUE PREVIA AUTORIZACION DE NOSOTROS, EN EL ENTENDIDO TAMBIEN DE QUE LA ROPA Y POSES DE ELLA EN SU FOTOGRAFIA SERIAN APTAS PARA TODO PUBLICO, TOMANDO DE BASE LA FOTO QUE PODRA UTILIZAR PARA SU PUBLICIDAD DE VERANO; ALGUN CENTRO COMERCIAL, COMO SEARS O LIVERPOOL Y ASI SE CONSTATA EN SU PARTICIPACION EN EL ALMANAQUE, EL CUAL NO FUE EDITADO POR "GLORIA TREVI" Y TAMPOCO POR EL SEÑOR SERGIO GUSTAVO ANDRADE SANCHEZ Y NUNCA HUBIERAMOS OTORGADO NUESTRA AUTORIZACION DE CONSIDERARLO INMORAL, NUESTRA HIJA ES UNA JOVENCITA BUENA, INOCENTE, OBEDIENTE Y DECENTE QUE CUENTA Y CONTARA CON NUESTRO APOYO PARA CUALQUIER ACTIVIDAD QUE LA AYUDE A SUPERARSE Y NO PONGA EN RIESGO O PELIGRO SU DIGNIDAD E INTEGRIDAD, SUS PRINCIPIOS Y SU FELICIDAD.

SE FIRMA LA PRESENTE HOY EN LA CIUDAD DE CHIHUAHUA, CHIHUAHUA, A LOS 17 DIAS DEL MES DE SEPTIEMBRE DE 1998.

SR MIGUEL JORGE YAPOR OLLERVIDES   SRA TERESITA DE JESUS GOMEZ

EN SU CARACTER DE PADRES EN EJERCICIO DE LA PATRIA POTESTAD DE SU

MENOR HIJA KARINA ALEJANDRA YAPOR OLLERVIDES.

Mary al momento de abandonar a mi hijo en el hospital La Paz en Madrid. Supongo que se la tomó para comprobarle a Sergio que había seguido sus instrucciones.

R CASA DE LOS NIÑOS

DOÑA MARIA DEL CARMEN YEVES BENITO, DIRECTORA DE LA R CASA DE LOS NIÑOS, DEPENDIENTE DE LA CONSEJERIA DE SANIDAD Y SERVICIOS SOCIALES (I.M.M.F.) DE LA COMUNIDAD AUTONOMA DE MADRID.

Hace constar: Que el menor cuya fotografía se adjunta en éste documento, ingresó en la Residencia Casa de los Niños el día 5 de Agosto de 1998 con el nombre de Francisco Ariel Yapor Gómez, y que nació en Madrid el 12 de Diciembre de 1997.

Madrid, 18 de mayo de 1999

Fdo: Mª Carmen Yeves Benito.

Copia de la constancia de su ingreso a la Residencia Casa de los Niños de Madrid el 5 de agosto de 1998.

HOSPITAL GENERAL UNIVERSITARIO
"GREGORIO MARAÑON"

CONSEJERIA DE SANIDAD
Y SERVICIOS SOCIALES

Comunidad de Madrid

f-22 de julio de 1998
vc

H- 1716233
-YAPOR GÓMEZ, FRANCISCO ARIEL

INFORME CLÍNICO

SERVICIO/SECCIÓN	F. INGRESO	F. ALTA
PEDIATRÍA II, DR. CLIMENT	17-7-98	22-7-98

Motivo de ingreso: Paciente que ingresa remitido por el médico desde el centro de acogida por fiebre y vómitos después de las tomas. Ha estado en tratamiento con Ventolín inhalado cada 8 horas durante 4 días. Ha tenido además varias deposiciones diarreicas.

Antecedentes personales: Ingresado en La Paz el 24.6.98 hasta el 13.7.98 por retraso de la curva ponderal, donde se le ha diagnosticado anemia ferropénica y malnutrición probablemente exógena y se ha pautado tratamiento con hierro oral

Antecedentes familiares: madre 16 años, sana, padre sano. Abuela materna cáncer, abuelo paterno en silla de ruedas por problema de huesos.

Exploración física: Peso 5.880 g. (P -3) talla 63 cm (P -3) PC 43,5 cm (P -10). Tª 37,1º. Regular estado general. Algo desnutrido. Pliegue hidratado. Normocoloreado, llora con lágrimas. No exantema ni petequias. Consciente y orientado. FA 2 x 2 normotensa. AC: rítmica, AP: roncus diseminados, alguna sibilancia, crepitantes en base derecha. Abdomen: blando y depresible, hepatomegalia 1 cm. ORL: faringe hiperémica, con moco en cavum. Otoscopia normal.

Exploraciones complementarias:
- Leucocitos 10.500 (L 50,3. M 7,5. Gr 42,2. Eos -0,7, Bas -02 %). Hts. 4.600.000. Hgb 10.8 gr/dl. Hcto 34,6 %. VCM 74,7 fl, plaquetas 388.000. VSG 25. PCR 0.
- Bioquímica: urea 65, (control 22), ácido úrico 7,1 mg/dl. GOT 174, (control 147) GPT 194 U/l. (Control 174). Resto normal.
- Orina normal.
- Rotavirus en heces positivo.
- Coprocultivos negativos.
- Urocultivo estéril.
- HIV negativo.
- Rx tórax al ingreso: inicio de condensación en base derecha.

Juicio diagnóstico: GASTROENTERITIS AGUDA
                              VIRIASIS

Tratamiento seguido y evolución: se pauta amoxicilina clavulánico i.v por una Rx tórax compatible con inicio de neumonía, debido al cuadro de vómitos y diarrea se indica hidroterapia i.v. a medida que ceden los vómitos y diarrea se suspende goteo, comenzando dieta astringente. previo al alta se realiza una Rx tórax de control que es normal, por lo que se suspende el antibiótico. Debido a la buena evolución clínica y analítica se decide el alta.

Tratamiento a seguir:
- Dieta astringente. fórmula sin lactosa durante un mes.
GLUTAFERRO, 8 gotas antes de 2 tomas.
PROTOVIT 12 gotas cada 12 horas.
Control por su pediatra dentro de 15 días de las transaminasas, hierro y transferrina.
Pedir cita en consulta de Infecciosas.

DRA. A. LÓPEZ.

FDO. DR. CLIMENT

Doctor Esquerdo, 46
28007 Madrid

Informe clínico sobre el lamentable estado de salud de Francisco Ariel al ser internado en el hospital La Paz.

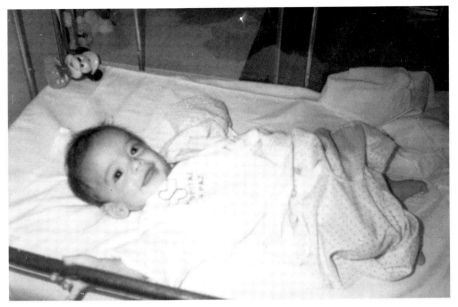

Mi niño en la cuna del hospital, en muy mal estado de salud y muy pequeño para sus siete meses de edad. A pesar de todo, sonríe.

Meses después, con una compañera en la Casa Hogar. Es notoria la mejoría de salud al haber recibido alimentación y tratamiento adecuados.

H. DEPARTAMENTO DE AVERIGUACIONES PREVIAS

PRESENTE.

C. TERESITA DE JESUS GOMEZ DE YAPOR, Mexicana, mayor de edad, por mis propios derechos y en ejercicio de la patria potestad de la C. KARINA ALEJANDRA YAPOR GOMEZ, señalando como domicilio para oír y recibir toda clase de notificaciones y documentos el Despacho ubicado en CALLE IGNACIO DE LA LLAVE NUMERO 407, CENTRO HISTORICO de esta Ciudad de Chihuahua, y autorizando para tales efectos a los C.C. LICS. HECTOR HUGO PEREA ARBALLO, Y/O JOSE ALEJANDRO PEREA ARBALLO, Y/O P.D. OBED KINOKOVY DOMINGUEZ VALENZUELA Y/O P.D. KARLA IVETTE TORRES GARCIA, ante esta H. OFICINA con el debido respeto comparezco para exponer:

2.- La menor antes identificada desde muy pequeña mostró inquietudes artísticas, por lo que alrededor de sus diez años, como a muchos niños de esa edad le atraían los cantantes juveniles, pero sobre todo, fuertemente a quien se conoce como GLORIA TREVI, debido a ello, en las presentaciones que a principios de los años noventas realizaba en esta Ciudad, la C. GLORIA DE LOS ANGELES TREVIÑO RUIZ (GLORIA TREVI), fue que la conoció, constituyéndose para mi hija como una especie de ídolo.

5.- Una vez realizada la prueba antes dicha, se me informó que mi menor hija tenía un gran talento artístico, y que por ello, tanto la C. GLORIA DE LOS ANGELES TREVIÑO RUIZ (GLORIA TREVI) como el C. SERGIO GUSTAVO ANDRADE SANCHEZ, le ofrecían desarrollar las cualidades artísticas, y en un plazo relativamente corto lanzarla como solista, pero que para ello, eran necesarios el tomar seis o siete meses de cursos intensivos, cursos que se le ofreció impartir en forma gratuita, así como los gastos de traslado y manutención de la menor en la Ciudad de México, D.F., a cambio obviamente de que si esta lograba desarrollarse en tal medio, contratarse, o bien, que se interesaran por ella alguna compañía, el SR. SERGIO GUSTAVO ANDRADE SANCHEZ fungiera como representante, ya fuera como solista, integrante de algún grupo o tocando algún instrumento, obviamente cobrando un porcentaje de las regalías, derechos u honorarios que se le pagaran a KARINA ALEJANDRA YAPOR GOMEZ.

Fragmentos de la averiguación previa iniciada por los padres de Karina.

11.- El día 13 de Octubre de 1998 la suscrita y el C. MIGUEL JORGE YAPOR OLLERVIDES recibimos una llamada de la Delegación de la Secretaría de Relaciones Exteriores de su Departamento Jurídico de esta Ciudad por parte de la LIC. OLIVIA BAÑUELOS, mediante la cual nos informaron que en el mes de Noviembre de 1997 en Madrid, España, KARINA ALEJANDRA YAPOR GOMEZ había dado a luz a un bebé, y que lo había registrado ante la Cónsul Mexicana OLGA GARCIA de aquella ciudad, habiéndola acompañado como testigo la C. KATIA DE LA CUESTA SORIA, pero que con posterioridad la Cónsul tuvo noticia de que dicho bebé se encontraba abandonado y con síntomas de desnutrición en una casa cuna de la Ciudad de Madrid, España y que tras diversas indagatorias mediante los documentos migratorios, supieron que KARINA ALEJANDRA YAPOR GOMEZ era originaria de esta Ciudad, y por ello pidieron el apoyo de la Delegación para contactar a la suscrita y al C. MIGUEL JORGE YAPOR OLLERVIDES, por lo que al recibir tan inesperada noticia, nos lleno de indignación e impotencia ya que también se nos informo que al parecer nuestra hija vivía junto con un grupo de jovencitas, en un poblado cercano a Madrid en un chalet lujoso en compañía de un hombre mayor y que a ese domicilio que siempre estaba totalmente cerrado y sin visibilidad hacia el interior, acudían señores de edad avanzada y en carros lujosos, por lo que al parecer se prostituía a las menores con tales varones.

15.- Por todo lo antes expuesto, es que se considera que las conductas que han desplegado los presuntos responsables y/o quien resulte responsable, pueden ser constitutivas de los siguientes delitos : Corrupción de Menores o Incapacitados, que prevén los Artículo 175 y 177 ; Lenocinio, que sanciona los numerales 179 y 180 ; Omisión de Cuidado, que regula el Numeral 221 ; Los Delitos contra la Libertad y Seguridad de Personas que sanciona los Numerales 227 y 229 ; de Coacción o Amenazas, que prevé el Artículo 232 ; Asociación Delictuosa normada por el Artículo 238, y de aquellos contra la libertad y Seguridad Sexuales que se ven regulados del Numeral 239 al 247 BIS, del Código Penal para nuestro Estado.

V.- Desde este momento, solicito se le reconozca el carácter de Apoderados Generales para Pleitos y Cobranzas y Actos de Administración de la firmante y de mi esposo por nuestros propios derechos y en ejercicio de la Patria Potestad a los C.C. LICS. HECTOR HUGO PEREA ARBALLO, Y/O JOSE ALEJANDRO PEREA ARBALLO.

PROTESTO LO NECESARIO.

CHIHUAHUA, CHIH., A 23 DE MARZO DE 1999.

C. TERESITA DE JESUS GOMEZ DE YAPOR.

Comunidad de Madrid

Consejería de Salud
HOSPITAL GENERAL UNIVERSITARIO
<< GREGORIO MARAÑON >>
Doctor Castelo,49-Madrid 28007
Tel.(91) 5868675

FRANCISCO ARIEL YAPOR GOMEZ
CARRETERA COLMENAR VIEJO, KM.12,800 CASA
28048-MADRID

1716233 **INFORME CLINICO**

SERVICIO	F.ING/ASIS	F. ALTA	F.REGIS.	F.INFORME
INFECCIOSOS INFANTIL-CONSULTAS	15/04/99		16/04/99	16/04/99
SERVICIO PETICIONARIO	N.CAMA			
INFECCIOSOS INFANTIL-CONSULTAS				

Paciente visto por primera vez en la consulta en Agosto/98 por haber sido remitido desde el Servicio de Pediatría II donde permaneció ingresado con los diagnósticos de VIRIASIS Y GASTROENTERITIS AGUDA. Se remite a nuestra Sección para estudio de ↑transaminasemia objetivada durante dicho ingreso.

EXPLORACION: Buen estado general. Bien hidratado y perfundido. No exantema ni petequias. Buen tono y vitalidad. No ictericia. Faringe y tímpanos ligeramente hiperémicos. A. cardiaca rítmica sin soplos. A. pulmonar: ruidos transmitidos de vías altas. Buena ventilación bilateral. Abdomen blando y depresible con hígado a 2 cms del reborde costal. No hiperemia conjuntival pero secreción blanquecina en ojo derecho.

DIAGNOSTICO.-
* HEPATITIS AGUDA DE PROBABLE ORIGEN VIRAL.

El paciente seguirá siendo controlado por su Médico.

Fdo: DRA. NAVARRO GOMEZ.

Fragmentos del informe clínico sobre la hepatitis sufrida por mi hijo, cuando tenía escasos meses de edad.

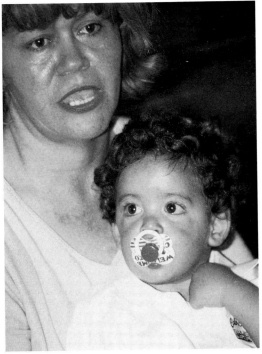

Archivo *TV y Novelas*

Mi hijo un día después
del emotivo momento en
que llegó a México y se lo
entregaron a mi mamá,
el 28 de mayo de 1999.

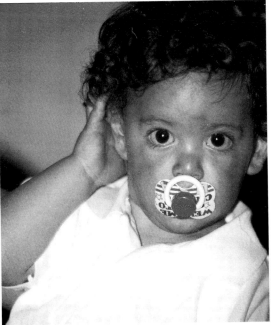

Archivo *TV y Novelas*

Gloria, al momento de ser aprehendida en Brasil tras ser buscada en 176 países.

Tamara Zúñiga, la chilena que inició un proceso en su país contra Sergio, Gloria, Mary y otras personas de su grupo por delitos similares a los cometidos en mi contra. Aquí posa con mi mamá cuando vino a Chihuahua a declarar.

Para

Karina

Karina:
    Muchas felicidades en el día de las madres para ti y Francisco Ariel Que Dios los bendiga.

Tarjeta escrita por Karola enviada con dos docenas de rosas rojas. Sergio quería manipularme y ofreció mandármelas por el Día de las Madres, pero no lo hizo. Fue hasta que le avisé que diría toda la verdad que llegaron.

Con mi querida terapeuta y amiga, la licenciada Alma Gómez de Hernández y su esposo Sergio Hernández.

Mi abogado,
el licenciado
Héctor Hugo Perea.

Con el equipo de *Trapitos al Sol* y mis tías.

Con Carmen Armendáriz, productora del programa *Trapitos al Sol*.

Con Rosa María de Castro en la Plaza del Toro en Chihuahua, durante la transmisión de *Hechos de la Tarde*.

Con Wendy, Karla y Karola, con sus respectivos bebés, María Miel, Valentina y Milton, después de la declaración de las hermanas De la Cuesta y minutos antes de la de Wendy.

Liliana Regueiro, la chica argentina, con María Miel.

Con Katia, después de declarar la verdad y ser liberada.

Francisco Ariel en una fiesta.

cenciado Héctor Hugo Perea. Él se puso a nuestra disposición y a finales de marzo entablamos la demanda.

El licenciado Perea se movilizó rápidamente para ganar también tiempo en los trámites de la recuperación del niño. Se comunicó a la embajada de México en España y a la Casa del Menor en Madrid. Ahí habló con la directora, Carmen Lleves, a quien le dio mucho gusto saber que queríamos hacernos cargo de Francisco Ariel, pues llegó a pensar que sería otro niño más abandonado sin importarle a nadie.

Poco después, a principios de mayo de 1999, nos cambiamos a otra casa, allí mismo en Araruama. Al llegar me informó frente a todas las muchachas cuál sería mi castigo por haberle hecho ese gesto: "Vas a lavar toda la ropa y los trastes; recoger la cocina; cortar el pasto; no puedes hablar con nadie; recibirás las órdenes de todas; no puedes ni siquiera escribirme". Mis cartas eran las que me ayudaban a suavizar las cosas; si en ellas le decía que era una tonta, una estúpida, él se tranquilizaba un poquito, pero ahora que no iba a poder escribirle, asustada me preguntaba: "¿Qué voy a hacer?"

También me informó que tendría que estudiar unas quince obras de Bach, unas dos sonatas de Beethoven, tres de Mozart (de las cuales ya había sacado una), el libro completo de tangos y boleros que teníamos, así como veinticinco canciones de los Beatles, dos obras de Chopin y algunas otras más que no recuerdo.

Pero, obviamente, el castigo era exagerado: para que pudiera concluirlo debía aprender todo de memoria, y sólo podía estudiar cuando terminara mis labores. Era muchísima la ropa que tenía que lavar, y luego vendría alguien a revisar prenda por prenda, incluso a olerlas; no debía quedar ninguna manchita. Si cometía algún error aumentaría la cantidad de piezas musicales que debía estudiar. Tampoco podría pararme enfrente de él y dormiría en el cuarto de servicio.

En cumplimiento de ese castigo, salía muy temprano a cortar el césped, para lo cual me daban un cuchillo de cocina con muy poco filo y, sin embargo, se me asignaba un tiempo insuficiente para terminar las áreas señaladas con piedras, algunas veces por Wendy pero principalmente por Mary. Me entregaban un cuarto de barra de jabón con lo que tenía que lavar grandes cantidades de ropa (pantalones de mezclilla, sudaderas y otras prendas), también en escaso tiempo. Lavaba los trastes con la porción de jabón líquido que se me daba, la cual no bastaba tomando en cuenta que tan sólo de personas adultas éramos once y había ollas muy engrasadas, sartenes, platos, cubiertos y vasos. Por lo general terminaba de lavar los trastes de la cena a las dos o tres de la mañana.

Como Sergio decidió que nadie durmiera en el cuarto de servicio porque estaba aislado y prefería tener mayor control sobre nosotras, empecé a dormir en el recibidor. Ahí tenía que pararme junto a una de las puertas que daba hacia la cocina, esperar a que Sergio se levantara al baño y me ordenara que despertara a Mary para que ésta me abriera. Así podía pasar al cuarto de servicio para estudiar hasta que los demás se levantaran y llegara el momento de iniciar otra actividad.

Durante nuestra estancia en esa segunda casa de Araruama, Brasil, Sergio nos tomó fotografías; pretendía que algunas de nosotras las mandáramos a nuestras familias para que pensaran que todo estaba bien; sin embargo, desistió de ello por temor a ser rastreado. Asimismo, les tomó fotos a los niños y a nosotras de nuevo en el departamento de Constante Ramos. En una ocasión lo hizo incluso junto a un arbolito de Navidad que el señor Treviño le regaló a Gloria cuando viajó a Brasil después de la muerte de su nieta. Indudablemente se cubrieron no sólo con cartas sino también con fotografías, hojas firmadas en blanco y otras cosas. Pero Dios hará justicia.

Un día Liliana tuvo un fuerte problema con Sergio, lo que ocasionó que éste buscara una nueva forma de castigo. La encontró. Desde ese momento, ella comería "caja". Era una cosa asquerosa: en una caja de plástico ponían sobras de cáscaras de plátano y de naranja, cascarones de huevo, alimentos en descomposición, cebollas crudas, hierbas como perejil y cilantro, pero ya negras; todo esto revuelto con agua.

El 10 de abril, la Procuraduría de Justicia de Chihuahua pidió ayuda a la PGR con el fin de que la Interpol rastreara a Sergio Andrade y a Gloria Trevi y se cumpliera la orden de presentación de Karina. Las autoridades sospechaban de una red de prostitución comandada por Andrade. 29 de abril de 1999
El Diario de Chihuahua

Al empezar a comerla, Liliana no soportó el asco y vomitó. Aquella vez, Sergio ordenó que me dieran una caja similar para demostrarle a Liliana que la podía comer sin hacer tanto "teatro". Yo comencé a comerla sin que hubiera hecho nada para merecer el castigo y sentí arcadas por la náusea. Pude ingerirla mejor que Liliana; sin embargo, él se molestó porque no lo hice en el tiempo que pretendía, ya que no podía triturar las cáscaras secas de cebolla. A partir de ahí se me designó a mí también el comer "caja" a diario, hasta que Sergio estuviera satisfecho en cuanto al modo y tiempo en que lo realizara.

Una vez Katia y yo estábamos comiendo una "caja" que contenía tantas cáscaras de limón y de naranja que nos provocó una tremenda acidez y nos hizo vomitar. Entonces, Sergio, colérico, nos advirtió que más nos valía acabarnos todo, antes de que nos fuera peor. Puso a Mary a vigilarnos para que comiéramos hasta el último ingrediente de la "caja". Por fin, yo logré acabar poco más de tres horas después, habiendo vomitado conforme iba ingiriendo, por lo menos en tres o cuatro ocasiones. Mary revisó mi caja y me hizo lamer y chupar hasta el último indicio de mi vómito. Como el recipiente era de plástico, quedó completamente transparente.

Nació Milton, el hijo de Karola y Sergio. Durante su embarazo, ella le dijo que sentía que sería niña y él se hizo ilusiones. Ahora que sabía que era varón estaba muy molesto y era probable que buscara la manera de deshacerse de él. De hecho, permitió que naciera porque no supo a tiempo cuál sería el sexo del bebé. El primer ultrasonido de Karola se hizo hasta los seis meses de embarazo porque no se contaba con el dinero en efectivo para atenderla y en un estado tan avanzado es peligroso abortar.

Aun así, puesto que ya sabía que el bebé sería niño, entré en pánico al pensar que podría hacerle algo parecido a lo que les hizo a Francisco Ariel y a Sofía. Me estremezco todavía al recordar cómo golpeaba a la niña. De hecho, cuando yo llegué, acostumbraba hacerlo con el cinturón, pero como la niña, pese a los golpes, no podía ser como él quería, ideó algo más doloroso: el cable. La pobrecita tenía gran número de cicatrices en el cuerpo. Ese hombre incluso llegó a mencionar que debería haber cinturones que pudieran conectarse a la electricidad para que la hebilla diera descargas eléctricas.

Tiempo después, como ya relaté, golpeó también a Francisco Ariel, a los doce días de nacido, con los puños en su carita y cuerpecito. Lo mismo hizo con Milton, en sus primeros meses de vida, le daba bofetadas que le causaban hematomas en la cara, para presionar a Karola a hacer algunos ejercicios pesados. A Antonia le hacía lo que él llama "la licuadora": la agarraba con los dos brazos y la agitaba fuertemente en el aire hasta que la niña, asusta-

El 11 de abril la madre de Gloria Trevi, Gloria Ruiz, se deslindó de toda responsabilidad y pidió que su hija dé la cara. La Interpol solicitó a sus ciento setenta y seis representantes en el mundo que localicen a la pareja Andrade-Trevi.
29 de abril de 1999
El Diario de Chihuahua

ya no quería acercarse a él; entonces la amarraba del cuerpo con un cordón y, al hablarle, la jalaba fuertemente.

Un día Sergio le dijo a Mary que fuera a comprar algo de la carne más barata que encontrara para prepararnos de comer a nosotras. A su regreso, me llamaron para que lavara lo que sería nuestra comida: un pedazo gigantesco de una cosa llamada bofe, o pulmón. Estaba llena de unos conductos como venas, vacíos y huecos. Sergio lo puso a cocer en la olla más grande y transcurrido determinado tiempo, el bofe, humeante y espumoso, empezó a inflarse levantando con ello la tapa de la olla, asomándose como un monstruo que quisiera escaparse. Luego nos lo sirvieron y tuvimos que comerlo pese a su asqueroso sabor. Cuando se enfrió quedó por completo lleno de sebo.

A partir de ese momento, empezó a darnos bofe con cierta regularidad.

Sergio me castigaba y tenía relaciones sexuales conmigo sin cesar. No soportaba más estar con él, pero no encontraba la manera de recuperar a mi hijo; cada vez que le preguntaba de él, me respondía que en cuanto alguien fuera a España, lo traería. Yo no perdía las esperanzas de recuperarlo pronto.

Gloria se embarazó y a ella la trataba en forma diferente: su bebé era deseado por ambos y él nunca la castigaba como a mí. Para ella un castigo era no estar a su lado e irse a otro cuarto a ponerse mascarillas, arreglarse los pies o hacerse manicure.

Mi tristeza iba en aumento pues todas tenían a sus hijos con ellas menos yo; me parecía tan inexplicable, tan tremendamente injusto. Estaba consciente de que sólo con mis fuerzas no podía hacer nada, pero creía en Dios; confiaba en que Él me otorgaría la dicha de reencontrarme con mi hijo en algún momento de esta vida, aunque a veces me dejaba llevar tanto por la desesperación que pensaba que tal vez ya estuviera muerto. Incluso lo soñaba como un angelito que venía y me decía: "No llores, mamá". Nunca ningún tipo de golpe se va a comparar ni remotamente con el dolor de una madre al no saber de su hijo, al recordarlo a cada momento al ver a otros bebés o escuchar su llanto. Es la peor tortura.

En esa época debíamos hacer ejercicio por las mañanas con Sonia pues era la que más nos cansaba. Si alguna no aguantaba la disciplina llegaba Sergio con un cable para golpearnos hasta que nos reintegráramos y lo hiciéramos como él quisiera. En verdad le afectó estar huyendo de la justicia, pues se la pasaba pensando en castigos nuevos y más dolorosos; se iba haciendo más y más obsesivo en cuestiones como no hacer ruido o no llamar la atención, entre otros. También ideaba procesos para utilizar hasta la última sobra de cualquier alimen-

El 13 de abril se publica la súplica angustiada de Teresa Gómez de Yapor: "Por el amor de Dios, Gloria, devuelve a mi hija porque me estoy muriendo". 13 de abril de 1999
El Heraldo de Chihuahua

to, con tal de no gastar un poquito más. Incluso en una ocasión dijo que sería muy bueno encontrar la manera de envasar y dar uso a los gases humanos; no sé si hablaba en serio, pero da igual porque es absolutamente descabellado pensar en algo así.

Pasaba casi todos los días viendo películas; cierta vez vio un video de *Lo mejor de Hollywood*, en el que un hombre caminaba de manos y por supuesto que se le antojó que yo lo hiciera; acto seguido me puse a practicar.

Cierto día regresamos a Río de Janeiro. En un departamento de la rua Conde de Bonfim, alquilado por Liliana, vivíamos Mary, Gloria, Marlene, Liliana, Sonia, Wendy, Karla, Karola, Katia, Sergio, Antonia, Milton y yo.

El departamento era muy pequeño, sólo tenía dos recámaras y un cuarto de servicio. Yo dormía con Marlene, Katia, Liliana, Karla y Mary en una recámara; en la otra, Sergio y Gloria. En la sala a veces se quedaba Wendy y el cuarto de servicio estaba destinado para Sonia y Karola.

El día que llegamos Sergio se molestó y regañó a Wendy y a Marlene, que estaban ahí desde días antes, porque no le prepararon algo especial de comer para cuando él arribara.

Mary y Liliana hacían las compras para la comida en el Carrefour que se encontraba a escasos metros de allí. En el estacionamiento del edificio el auto sufrió actos de vandalismo porque traía placas argentinas y existe gran rivalidad entre ambos países por el futbol.

Sergio se ponía a escuchar música brasileña y a escribir poesía, en tanto Gloria dibujaba y descansaba a su lado. Mary practicaba la guitarra y nos daba instrucciones a algunas de nosotras respecto a limpiar o hacer cualquier otra cosa. Ya no se siguió con el plan de los instrumentos musicales porque los departamentos están muy pegados entre sí y la música hubiera sido escandalosa. Hubo algunas excepciones, como en mi caso, durante un castigo en que Sergio me puso a estudiar una hora de guitarra. También me indicó que hiciera ejercicio con Sonia, pues ella lo impartía muy duro, y que aprendiera textualmente y de memoria cada una de las palabras —y sus correspondientes definiciones— del diccionario, de la letra A a la D. Sólo podría estudiar una hora diaria y las páginas del diccionario se irían aumentando de acuerdo con los errores que cometiera. Sólo se me permitiría comer caja. No estaba autorizada para salir del cuarto y sólo podría ir al baño cuando me lo indicaran. El resto del tiempo debía estar sentada en un rincón.

En el segundo día de su declaración, Karina explica por qué sus recuerdos son tan detallados y precisos: "Durante el tiempo que viví con Sergio Andrade no llevé una vida normal que me distrajera y en cambio tenía actividades específicas que realizar siempre dentro de los lugares que he mencionado. Por ello no me resulta difícil recordar las direcciones y lo que ahí ocurrió".

Sergio hizo con Karola lo mismo que hiciera conmigo y con Francisco Ariel: la castigó prohibiéndole estar con su hijo, salvo cuando tenía que darle de comer, pero se lo quitaban de inmediato. Era horrible ver cómo trataban a ese chiquito, que además me hacía pensar mucho en mi pobre bebé, tan lejos y tan desvalido. "Dios, ayúdanos, por favor", era mi constante plegaria, silenciosa, claro.

Katia y yo teníamos que hacer mínimo diez horas de ejercicio al día; nos levantábamos temprano por la mañana y no parábamos hasta que alguien nos diera la orden de ir a dormir. Algo cansadísimo, pues sólo hacíamos dos pausas para comer y para ir al baño en los horarios establecidos por Sergio. Estaba cerrado con llave y Mary o Gloria lo abrían nada más dos veces al día; en ningún otro momento se nos permitía utilizarlo y no podíamos bañarnos salvo que se nos diera la orden expresa.

La situación de Karola con Sergio alcanzó un nivel insoportable. Ella le confesó que cuando estuvo varios días aislada durante su embarazo en Araruama, ingirió de forma desesperada un frasco de pastillas que Sergio le dio a guardar. Él reaccionó furioso; a partir de ese momento sí que ya no podía ver a Milton para nada; dijo que si al momento de tomarse las pastillas no pensó en su hijo, eso quería decir que no le interesaba tanto estar con él.

Después de varios días de encarar dificultades con Sergio, Karla por fin dio a luz a Valentina, en la Escola da UFRJ, el día 23 de septiembre de 1999.

Un día fue Karola la que ya no soportó más y se escapó por la ventana del cuarto de lavado, metiéndose a la ventana del departamento de la vecina. La prueba del mal estado emocional en que se encontraba es que vivíamos en un tercer piso y pudo haberse matado.

Los vecinos llamaron a la policía y Sergio, Gloria y Mary se escondieron en un cuartito de la azotea, mientras las demás nos fuimos al Carrefour. Cuando Sergio nos alcanzó en ese establecimiento se veía en muy mal estado anímico, pues en muchas situaciones ponía a Karola como ejemplo a seguir y creo que nunca imaginó que pudiera hacer algo de esa magnitud. Era evidente su intento por suavizar el suceso. Todo aquello lo iba convirtiendo en un ser más minucioso, frío, que se desquitaba con nosotras.

Me enteré de que Karola dijo a los vecinos que le daban muy mal de comer, que hacía mucho ejercicio y le prohibían ver a su hijo. Por eso y porque el esposo de la vecina trabaja en la policía, llamaron a las autoridades.

Por fin todo se arregló porque Katia les dijo que había sido un problema entre hermanas y logró, como lo hiciera con Karla, que Karola regresara.

Mary, Wendy, Liliana, Sonia y Marlene se quedaron en el departamento porque estaba rentado por

A un mes de haber interpuesto la denuncia por corrupción de menores, los padres de Karina aún no saben nada de ella. Ni la Embajada de España ni la PGR tienen información.
15 de abril de 1999
El Heraldo de Chihuahua

La PGR
catea
propiedades
de Sergio
Andrade,
entre ellas
una ubicada
en la colonia
Tabacalera,
con miras a
encontrar al
productor y
a las niñas
que están
con él.
16 de abril
de 1999
*El Heraldo
de
Chihuahua*

un tiempo definido. Los demás nos hospedamos en el hotel Astoria Copacabana: las hermanas De la Cuesta porque eran las que habían tenido el problema; Gloria y Sergio por obvias razones, y yo porque era menor de edad y en caso de que la policía regresara, eso significaba un riesgo ya que no tenía mis papeles en orden ni ningún permiso vigente para estar con ellos. En una habitación dormíamos Gloria, Sergio y yo, y en otra Katia, Karla, Karola y los bebés.

Al día siguiente le avisaron a Sergio que Marlene se había ido, incluso llevando con ella una maleta. Él echaba chispas, pues ya eran demasiadas cosas las que estaban sucediendo.

De inmediato nos mudamos al hotel Royalty Copacabana, junto con Mary y Sonia. Por órdenes de Sergio, las hermanas De la Cuesta fueron al hotel Praia Lido.

Cuando se logró ubicar a Marlene, supo que ésta había acudido a la policía de Brasil pidiendo ayuda para regresar a su casa pero, lógicamente, sin contar la verdad de con quiénes se encontraba y lo que ocurría. Le dijeron que tenía una semana para abandonar el país.

Días después, Sergio logró hablar por teléfono con ella.

Cuando colgó, y dado que ya me tenía un poco más de confianza luego de descubrir su "traición" y la de Karla y Karola, me dijo que Marlene era una estúpida prepotente. Que en un principio él le

156

decía que la quería mucho; que por favor regresara; que no quería perderla, y ella le contestaba de manera seca y cortante que ya no quería estar ahí y no volvería.

Pero, luego de envolverla durante bastante tiempo diciéndole que si ella se iba él le llevaría flores a su casa todos los días y le diría a sus papás que se quería casar con ella; que si en algún momento la había tratado mal sólo era porque tenía miedo de enamorarse de ella; que no podía amar a nadie más; que necesitaba de su presencia o sería capaz hasta de matarse, ella empezó a ablandarse —según me contó Sergio—, sin acceder aún a quedarse. Él le dijo que sólo le concediera tener sexo con ella por última vez y ella contestó que sí, pero que le dijera en qué hotel. En ese momento, él se carcajeó añadiendo: "¿Ya ves, Beto? ¿A poco no soy buen actor? Pero, por favor, prométeme que nunca se lo vas a decir".

Al otro día Marlene acudió al hotel Royalty Copacabana donde se quedó a solas con Sergio en el cuarto de Mary y Sonia. Ya no se fue.

En Río prácticamente vivíamos encerradas y cuando llegamos a salir con Sergio o por instrucciones de él, lo hacíamos vestidas en la forma más discreta posible.

Recuerdo que un día Katia me contó que cuando ella llegó al grupo, no todo era así. Estaban en Los

El 17 de abril, Cristal, cantante invidente que fue promovida por Andrade, afirma que se han quedado "cortos" con lo que dicen del promotor. En tanto Jorge Ortiz de Pinedo dice que sólo se trata de publicidad de la pareja. 29 de mayo de 1999 *El Diario de Chihuahua*

El 20 de mayo el padre de Wendy Castelo interpone una denuncia por corrupción de menores ante la Procuraduría de Chihuahua; su hija permanece con Andrade y Trevi.
21 de mayo de 1999
El Heraldo de Chihuahua

Ángeles y vivían largas treguas, ya que por el trabajo Sergio estaba muy ocupado y no las golpeaba tanto.

En cambio, en esos días la situación era horrible, no había tregua alguna, sino un verdadero martirio. Parecería que la inactividad lo alteraba todo el tiempo. Y lo peor es que no podía hacer nada, me sentía atada de manos.

Después de meses de una gran angustia y de realizar infinidad de trámites —hace memoria la madre de Karina— logramos que nos entregaran a Francisco Ariel.

Gracias a Dios, entre tantos sinsabores, un glorioso día 27 de mayo de 1999 nos llamaron de la Secretaría de Relaciones Exteriores, pidiéndonos que nos presentáramos al día siguiente a las once de la mañana. Yo le comenté a mi esposo: "¿Y ahora para qué querrán que vayamos? A lo mejor ya dieron al niño en adopción o se traspapeló algún documento de los solicitados y tendremos que prepararlo de nuevo". Y volvieron las dudas y las angustias; mi esposo me tranquilizó: "No te adelantes, ten fe en Dios y que sea lo que Él quiera".

Al día siguiente, en Relaciones Exteriores nos pasaron a un despacho herméticamente cerrado; de pronto entró un abogado, quien comenzó a explicarnos la razón por la cual nos hicieron ir; en ese momento se presentó una señora a quien el abogado introdujo como la licenciada Guillén, cónsul de México en España. Dijo que ella personalmente nos había hecho el favor de traer a nuestro nieto Francisco Ariel y que en ese momento nos lo entregarían.

Lloré emocionada cuando trajeron al niño en brazos. Era precioso y nos colmó de alegría desde el primer momento. Lograr su repatriación nosotros, que no teníamos dinero

158

para ir por él a España, fue una experiencia maravillosa y un gran consuelo. Le di gracias a Dios y le pedí que, como ahora faltaba mi hija y Él nunca dejaba a medias Su obra, nos la devolviera pronto.

Felices, nos trasladamos a casa de unos primos porque sabíamos que los medios de comunicación nos seguirían y nosotros queríamos disfrutar a nuestro nieto en privacía, para de alguna manera aliviar nuestro dolor y sufrimiento por no tener a nuestra hija. Ese niño representaba la esperanza de recuperar con bien a Karina.

El tiempo transcurrió, y lo pasé cuidando a mi nieto y, sobre todo, haciendo una gran labor para que nos aceptara, para que se sintiera en confianza y nos viera como su familia, brindándole el amor y cariño que sentíamos por él desde que supimos de su existencia.

Todos los días nos comunicábamos a Relaciones Exteriores, con nuestro abogado y con las autoridades estatales para ver si sabían algo de nuestra hija.

Gloria subió mucho de peso con el embarazo y en octubre de 1999 nació su hija. Para entonces nos encontrábamos en un departamento en Lagoa. La niña nació en el Hospital Miguel Cuoto. Ella le estuvo tejiendo ropita y la vestía como a una muñeca. Era la niña favorita y la trataban de manera totalmente diferente que a todos los demás bebés.

No nos quedaríamos en ese departamento; había planes de cambiarnos a una casa en Recreio pero como Sergio tuvo dificultades con la dueña, mientras buscábamos otro lugar nos hospedamos en el hotel Royal Palace o Real Palace de Copacabana. Ahí nos acondicionaron la sala de juntas como re-

La Procuraduría de Justicia del estado de Chihuahua gira orden de presentación contra Sergio Andrade y Gloria Trevi; un grupo especial del Ministerio Público los busca en varios estados. Aún no se conoce el paradero de Karina; se dice que la llevaron a España para ocultar su embarazo. 30 de mayo de 1999 *El Heraldo de Chihuahua*

cámara para que cupiéramos los cuatro adultos (Sergio, Gloria, Mary y yo) y la bebé. Llevaron un corralito donde dormía la niña y en una ocasión Gloria descubrió que los nudillos de una de sus manitas estaban raspados por la malla del corral.

Una vez Sergio, Gloria y Mary vieron un programa de televisión sobre la secta de Waco, Texas. Al escuchar que al parecer hubo gente dentro del templo que quería salir pero que se les había cerrado la puerta por fuera para que no pudieran escapar, él comentó que cuando una persona de tu organización pretendía irse seguro era para dañarte y que era mucho mejor matarla antes de que destruyera tus ideales. En resumidas cuentas, le pareció justo que no dejaran salir a nadie. La sangre se me congeló y más que nunca pensé que no podría escapar de ahí.

También comentaba que quería comprar una isla donde viviéramos solas con él, formar un gran pueblo con su descendencia, y no necesitar nada de nadie sino que nosotros mismos pudiéramos hacerlo todo. Quería deshacerse de nuestras familias.

Poco después nos mudamos a un departamento en la rua Constante Ramos, casi esquina con Barata Riveiro.

Un día escuché a Gloria hablar con su mamá y al parecer a ella no le gustaba el nombre de su nieta, Ana Dalay. También Sergio comentó que el segundo nombre se prestaba a albures. Después Gloria le comentó a él que su mamá le aconsejó ir a Estados Unidos porque ahí no tiene orden de aprehensión y podría conseguirle una entrevista con don Francisco, por la cual le pagarían cuarenta mil dólares. Siguiendo instrucciones de Sergio, ella le pidió veinte mil dólares a su mamá, de los cuales creo que la señora nada más le quería enviar cinco mil, razón por la que él estaba muy molesto.

Recuerdo que Gloria me comentó una vez que su mamá le robó un millón de dólares, herencia de su bisabuela Aurora. No sé si sea cierto, pero llegó a decirme que su madre le pegaba mucho y muy fuerte.

El 13 de noviembre de 1999 murió la hija de Gloria y Sergio. Cinco años antes, el 13 de noviembre de 1994, fue el primer acercamiento sexual de él conmigo. Parecería como si Dios los estuviera castigando.

Por lo general, a partir de nuestra estancia en Argentina, cuando Sergio tenía relaciones sexuales con Gloria, le pedía que se colocara de cabeza, levantando la pelvis y las piernas y recargándolas en la pared, con el fin de que se embarazara; esto incluso después de la muerte de Ana Dalay.

Muy disgustado conmigo, Sergio me informó que mis papás interpusieron una demanda y encontraron a Francisco Ariel. Me trataba con la punta del pie, me presionaba y me sentía muy mal. Estuvo

En el mes de noviembre, antes de regresar a México, Karina llamó en cuatro ocasiones a sus padres para exigirles que desmintie- ran ante la prensa que Ariel era hijo de Andrade. Hizo tres llamadas en un solo día. 11 de febrero de 2000 *El Heraldo de Chihuahua*

hablando con Gloria y con Mary para decidir si llamaba o no a mi casa, o si debía viajar a México.

En Brasil, Sergio me dio instrucciones para hacer las lla- madas a mi casa —explicó Karina en el juzgado—, espe- cificando lo que tenía que decir. En ellas desmentí la pa- ternidad de Francisco Ariel y pedí como condición para regresar que mis padres retiraran todas las denuncias en contra de Sergio y su grupo. También debían desdecirse ante los medios de comunicación. El propósito era lograr que mis padres retiraran la denuncia y lavaran el nombre y la imagen de Sergio y su grupo.

Hice las llamadas y, en vista de que mis papás no me creyeron y decidieron no desistirse de la de- manda, Sergio, enfurecido, optó por el segundo proyecto, es decir mi viaje a México.

Un día llegó la anhelada llamada de Karina —prosigue la señora Gómez de Yapor—. Cuando se comunicó de inme- diato mi esposo le dijo que teníamos a su hijo Francisco Ariel y que la estábamos esperando. En tono fuerte, ella contestó que sabía lo que habíamos hecho y que para que ella pudiera venir tendríamos que retractarnos y desistir- nos de la denuncia ante los medios de comunicación; que no estaba con ellos (Sergio, Gloria y compañía) y mucho me- nos secuestrada. Que si ella quería en cuanto retiráramos la demanda podía atravesar el océano para venir con noso- tros y disfrutar un delicioso pastel del establecimiento de su abuela.

Desde luego, nosotros no le creímos y yo discutí con ella porque sabíamos que no era mi hija a la que enfrentá- bamos, sino a las personas con quienes la dejamos ir, en quienes habíamos depositado nuestra confianza. Le dije: "Si estuvieras, como dices, libre de hacer lo que quisieras, ahorita mismo vendrías a explicárnoslo todo personalmente. Porque lo que no puedo entender es que sabiendo que tu hijito está con nosotros te resistas a venir y pongas condiciones. Por otro lado, eso que dices de que no estás con ellos tampoco lo creo porque si ellos pidieron nuestro permiso, tienes que estar con ellos. Qué casualidad que apenas supimos lo del niño, nos informas que ya no estás con esas personas. Además, tú eres menor de edad y que recuerde ellos nunca me hablaron para decirme: 'Señora, Karina ya no está con nosotros, venga a recogerla para que usted esté al pendiente de ella y se haga cargo'".

Cuando se desesperó al ver que no lograba su cometido optó por otro camino más sumiso; entonces le contesté: "Por qué quieres que retiremos la denuncia para después venir, por qué no vienes primero a explicarnos todo".

Gloria y Sergio pensaron en un plan para no delatar su paradero cuando yo arribara a México. Por instrucciones de Sergio, Gloria me maquilló para verme lo más parecida posible a Liliana. Su estrategia consistía en que fingiera ser ella, entrara con su identificación a Argentina y desde ahí viajara a México, o bien que mis padres me recogieran en ese país. También me tomé fotografías para pasaporte, ya que Liliana solicitaría uno con ellas en el consulado argentino, argumentando que lo extravió. Todo el asunto me parecía confuso y no sabía qué resultados podía tener para mi familia, para Francisco Ariel y para mí. Tenía miedo de lo que Sergio pudiera hacer, ya que estaba consciente de su poder y sus relaciones. Siempre nos recalcó que su hermano era un influyente político y que si intentábamos hacerle daño, a donde fuéramos nos encontraría. En una ocasión esta figura pública estuvo en Playa Blanca con su familia y mientras ellos comían en la palapa o paseaban por la finca, algunas de las muchachas y yo trabajábamos en el jardín y en el terreno, hecho del que ellos lógicamente pudieron percatarse. Es más, Sergio ordenó a Wendy que les sirviera la comida mientras otras preparaban los alimentos en la cocina. Además, Sergio les daba instrucciones a las muchachas de que si se les presentaba algún problema con autoridades —una multa de tránsito o algo más serio— le hablaran al senador para que las ayudara.

A fin de cuentas Sergio desistió del plan de que viajara a Argentina porque no me parezco mucho a Liliana; Gloria preparó otro, y todos los días ensayábamos lo que debía decir a mi llegada a México. Pasaba horas y horas hablando con ella. Por su parte, Sergio me dijo: "Tu misión en México es lograr que tus papás retiren la demanda. Tus tácticas pueden ser que invites a tomar un café, por ejemplo, al subprocurador o a quien esté encargado del caso, y si tienes que acostarte con alguien para salvarnos, te acuestas".

Sergio mandó traer pruebas de embarazo para Liliana y Marlene, pero sólo la de Liliana resultó positiva.

Decidieron que me acompañara Marlene, porque al parecer no existía orden de aprehensión en su contra.

Karina explica cómo fue aleccionada para rendir sus primeras declaraciones: "Durante varios días hablé con Gloria en alguna de las recámaras. Cuando estuvo estructurado lo que iba a decir, Sergio llamó a las personas que estaban en el departamento (las hermanas Karla, Karola y Katia de la Cuesta, Marlene, Liliana, Wendy, Sonia, "Mary Boquitas" y Gloria), me sentó en el sillón frente a todas y empezaron a hacerme preguntas como si fueran reporteros o autoridades. Si me atoraba en alguna respuesta, o no sabía qué contestar, o lo hacía incorrectamente, me repetían lo que tenía que decir. Esto duró varios días.

"Las declaraciones que vertí en el Juzgado Cuarto (primera declaración del 8 de febrero de 2000) fueron de igual forma preconcebidas, salvo el hecho de aceptar la paternidad de Francisco Ariel, lo cual fue una desobediencia a las instrucciones que me habían dado. Esta decisión se debió a que, después de ver unas fotografías de Sergio cuando era niño, me di cuenta del gran parecido que había entre ellos, por lo que no podría sostener que el padre era un novio español que tuve.

"Otras de las indicaciones eran que al concluir todas las revisiones en el aeropuerto debía entregarle mi pasaporte a Marlene Calderón, quien a su vez lo guardaría en su bolsa. Después ella viajaría a su casa, donde debía esconderlo. También le ordenaron a Marlene que estuviera con sus papás y les mostrara las fotografías, previamente escogidas por Sergio, de su supuesto novio, llamado Edson dos Santos Alves, nombre inventado por él; que les reiterara que estaba estudiando en Brasil y que tenía una propuesta en un país latinoamericano para formar parte de un grupo musical. Asimismo, dependiendo de cómo percibiera la situación en su casa, ella trataría de regresar antes de Navidad o, de creerlo conveniente, podía extender su estancia hasta antes de Año Nuevo.

Marlene Calderón Derat, ex corista de Gloria Trevi, fue recluida en el Centro de Readaptación Social (Cereso) de Chihuahua, acusada de violación agravada y rapto en perjuicio de la menor Karina Yapor. 17 de diciembre de 1999 *La Jornada*

"Al volver a Brasil, Marlene procuraría hacerlo con algo de dinero que pediría a sus papás, y obviamente con mi pasaporte. Tenía que verificar que yo diera entrevistas tal y como me habían instruido; debía tener la certeza de que iría a mi casa, comprando mi boleto de avión y esperando a que éste partiera. En el peor de los casos, si mis papás venían por mí, ella debía irse a Los Mochis antes de que llegaran.

"Además, tenía que comentarles a sus padres que lo que se estaba diciendo en México eran mentiras. Ambas debíamos manejar la versión de que yo no estaba en Brasil, sino en Argentina y que fue Marlene quien me llamó a este último país para informarme del problema, por lo que entonces me reuní con ella en Brasil. Eso es totalmente falso, las visas de ambas lo demuestran.

"Por mi parte, yo debía hablarle al papá de Gloria, fingiendo que la estaba buscando. Le pediría que intentara localizarla y le avisara que venía a aclarar todas las mentiras que supuestamente se habían dicho en México.

"Eso serviría para que el señor Treviño confiara más en su hija; además, como él tenía el número del teléfono celular de Gloria en Brasil, si se comunicaba con ella de forma inmediata, el grupo sabría que Marlene y yo logramos llegar y pasar la revisión sin ningún problema.

"Después de esa llamada, tenía que realizar una más a los señores De la Cuesta para informarles que acababa de llegar a México y que iba a aclarar las supuestas mentiras. Que no se preocuparan por sus hijas, pues en Brasil había tenido la oportunidad de encontrarme con ellas y que Karla tenía una niña muy bonita, lo cual ellos ya sabían (la señora me pidió que no lo fuera a comentar a la prensa). No mencioné a Milton, el hijo de Karola, ya que ellos desconocían su existencia hasta ese ˜momento y Sergio así me lo ordenó.

"Para seguir otras instrucciones, se me entregó en Brasil una lista con los teléfonos y nombres de las personas que tenía que localizar en México, incluso de Televisa."

Antes de salir a México, Marlene llamó a su casa, pero no encontró a nadie. Más tarde habló con un familiar quien le dijo que sus padres estaban de visita en Puebla y que iban a reunirse con los papás de Katia. Cuando Sergio lo supo se alarmó, porque ambas familias tienen fotografías de sus respectivas hijas con los mismos cambios de ropa.

Marlene logró hablar con su mamá y le dijo que estaba muy emocionada, que tenía un novio brasileño y que estaba estudiando para integrarse a un proyecto musical. Después, Sergio la envió junto con Katia a la playa de Copacabana, para que se fotografiara con tres muchachos diferentes. Él escogió uno y le dio el nombre de su supuesto novio: Edson dos Santos Alves.

Durante los preparativos para mi viaje estuve hablando con Sergio; me preguntó si podía confiar en mí y si lo amaba porque él, por su parte, me quería mucho. A todas sus preguntas respondí que sí, ya que cualquier otra cosa que dijera podría provocar que suspendiera mi regreso a México. También me informó que en cuanto yo abandonara Brasil, ellos se iban a mudar para evitar que alguien pudiera obligarme a dar su dirección.

El 14 de diciembre, después de desayunar, Sergio nos dijo a Marlene y a mí que teníamos diez minutos para alistarnos porque ya nos íbamos. Como era su costumbre, nos avisó de lo que ocurriría apenas unos minutos antes. Pienso que le gustaba tener de su lado el factor sorpresa. Sin duda alguna le funcionaba bien pues no sabíamos ni siquiera qué pasaría una hora más tarde, simplemente debíamos ejecutar sus órdenes en el acto; claro, así era imposible planear algo en su contra.

Un detalle que tengo grabado en la mente es que ese día escogieron para mí la ropa más presentable y apropiada para la misión. Si mal no recuerdo me dieron una falda negra de Julio talla cuatro. Me parece impresionante y deprimente haber usado esa talla pues mido casi un metro setenta y cinco. (Ahora he subido de peso y tengo una talla mucho mayor pues desde que llegué a mi casa, además de estar muy nerviosa, tenía ganas de comer sin parar y disfrutar sin restricciones lo que durante tantos años había deseado y se me negó.)

Cuando por fin salí junto con Marlene del departamento de la rua Constante Ramos, para dirigirnos al aeropuerto internacional de Río de Janeiro, mi mente y mi corazón eran un torbellino, aunque claro, todo lo disimulaba lo mejor que podía.

No pudimos viajar ese mismo día porque no había boletos y nos hospedamos en un hotel del propio aeropuerto. A nuestra salida de Brasil, en Migración nos pusieron un sello con una multa por haber excedido el tiempo de estancia permitido a los turistas no residentes. Dicha multa debería ser cubierta en caso de que deseáramos regresar, nos informaron.

En el avión rumbo a la Ciudad de México mi angustia y mi tensión eran enormes; estaba consciente de que me esperaban momentos difíciles: cumplir con mi cometido y con las órdenes de Sergio; en pocas palabras, seguir complaciéndolo. Para lograrlo esperaba no olvidar nada de lo que me dijeron antes de salir, ser capaz de repetirlo punto por punto. A pesar de todo lo que había sufrido en esos cinco años, me sentía muy confundida pues pensaba que Sergio no hizo las cosas por maldad, sino porque en realidad nos quería mucho a todas y deseaba que fuéramos mejores personas. Por otra parte, yo me preguntaba cómo podía hacernos eso por amor; además, el temor era mi eterno compañero: él podría tomar represalias si no lo obedecía.

Sin embargo, durante ese vuelo, en mi fuero interno rogaba a Dios que me permitiera disfrutar las experiencias hermosas que me aguardaban en mi país: ver por fin a mi niño adorado, estar de nuevo con mi familia, regresar a mi hogar del que partiera siendo una niña de apenas doce años.

2. Mi regreso al hogar

Al llegar a la Ciudad de México, le entregué mi pasaporte a Marlene, llamé al papá de Gloria y a los señores De la Cuesta, cumpliendo así con parte de las instrucciones de Sergio.

Después me dirigí en taxi a Televisa San Ángel, donde me entrevistaron. Entré por uno de los estacionamientos y dije que quería hablar con los señores Jorge Eduardo Murguía o Max Arteaga. Me preguntaron quién era y les di mi nombre, aclarando que venía porque habían difundido información sobre mi desaparición. Minutos después estábamos en la oficina de Max Arteaga; más tarde llegó el señor Murguía. Llamaron a Alberto Tinoco, a Joaquín López Dóriga y a alguien que tiene un programa de radio.

No sé si la gente de Televisa llamó a la policía o si ésta se dio cuenta de que estábamos ahí, pero en una patrulla nos llevaron a declarar ante el Ministerio Público. Me hicieron varias preguntas; yo no quería hablar, estaba muy asustada y les dije que era menor de edad; que necesitaba que estuvieran presentes mis padres o mi abogado. Aun así, me hicieron declarar.

Me preguntaron si había visto a Sergio y a Gloria y de dónde venía; me enseñaron fotografías de casas, de unos niños y unas personas que no conocía. Ahí estuve todo el día, no me dejaban salir. De pronto, y a pesar de que les advertí que no quería dar entrevistas a los medios, abrieron la puerta y entró gran número de periodistas.

En medio de la confusión detuvieron a Marlene, pues resultó que sí había orden de aprehensión en su contra, derivada de la denuncia de mis papás. También tenían orden de aprehensión Katia de la Cuesta, Gabriela Holguín, María Raquenel Portillo, Gloria de los Ángeles Treviño y Sergio Andrade.

Ya tarde llegaron mi mamá, mi hermano y el abogado. Al ver y abrazar a mi madre no pude contener el llanto; el cansancio y el pánico me invadían. Ella, siempre tan linda, la vi muy desmejorada y triste; ninguno de los tres parábamos de llorar.

En esos momentos todo me parecía una locura, nunca imaginé la magnitud del problema que se suscitó. El susto fue enorme y, aunque ya me sen-

El 16 de diciembre, procedente de Brasil llegó a México Karina Yapor en compañía de Marlene Calderón. Sorpresivamente ambas se presentaron en las instalaciones de Televisa San Ángel. 17 de diciembre de 1999 *Reforma*

tía más protegida, seguía temiendo que Sergio podía venir y llevarme.

Al arribar a la Ciudad de México, Karina fue llevada a la delegación para que declarara sobre el caso de Delia González y su esposo: "En el caso de ellos me pidieron que reconociera algunas fotografías y escuchara una grabación de una conversación telefónica entre un ejecutivo de Televisa y una persona que supuestamente era Sergio Andrade, para identificar si era o no su voz. Yo no conocía a Delia ni sabía nada del caso; por lo tanto, no fui aleccionada para responder a esas preguntas.

"En la cinta el supuesto Sergio informaba al ejecutivo de Televisa que yo estaba muerta y que Delia González tenía las fotografías y videos que involucraban al propio Sergio en actos ilícitos; que esto podría causarle serios problemas y le pedía ayuda para recuperar ese material."

Luego me llevaron a otro lugar, donde tuve que quitarme la ropa para que me hicieran un peritaje físico. Querían saber en qué estado había llegado. Tenía cicatrices, pero creo que ellos buscaban moretones o golpes recientes. Además, un mes antes de mi viaje, Sergio ordenó que me dieran un poco más de comer para que llegara con buen aspecto. La gente me ha dicho que parecía un cadáver, pero en realidad estaba más repuesta.

En otro sitio me practicaron un breve examen psicológico, consistente en unas cuantas preguntas; todo ello con el propósito de hacer la entrega oficial a mi mamá.

Como a las dos y media de la mañana salimos en una camioneta de la PGR escoltada por dos patrullas. Los reporteros nos iban siguiendo; de hecho, al tratar de alcanzarnos algunos de ellos se accidentaron. La avenida Reforma estaba llena de gente de prensa. La verdad no entendía nada, todo fue muy confuso y apresurado. No sabía que me habían estado buscando en ciento setenta y seis países, ni que pensaban que estaba muerta.

Buscábamos un hotel donde hospedarnos. Al llegar a la Diana Cazadora, una patrulla (que no venía con nosotros) nos cerró el paso y casi nos estrellamos. Los policías, pensando que estábamos huyendo de las patrullas que nos escoltaban, se bajaron del vehículo pistola en mano y nos encañonaron. Los de la PGR bajaron, se identificaron, y poco después nos dejaron ir. Nos asustamos muchísimo; mi mamá incluso pensó que era una emboscada planeada por Sergio y que nos iban a matar. Yo me golpeé con el portafolios del abogado al agacharme.

Para despistar a los periodistas nos detuvimos en varios hoteles, fingiendo que nos íbamos a bajar. Por fin nos hospedamos en el hotel Sevilla Palace. Es increíble, parece que Dios me estuviera enviando el mensaje: "Olvídate ya de todo lo que viviste con Sergio y Gloria; te aparto de ellos en el mismo lugar en que te les uniste", pues ahí fue donde años atrás hice la audición para entrar al grupo.

Tras ser objeto de una intensa cacería por varios países a cargo de la Interpol, el 13 de enero de 2000 fueron capturados por la Policía Federal de Brasil Gloria Trevi, Sergio Andrade y "Mary Boquitas". 14 de enero de 2000 *El Heraldo de Chihuahua*

En el hotel caí en cuenta de que estaba hambrienta. Eran como las tres de la mañana y ya me sentía más tranquila porque estaba con mi mamá. Era tanto mi apetito que ordené una hamburguesa con queso, un club sandwich, un banana split y dos malteadas; tenía la mesa llena de cosas. Mi mamá y mi hermano se caían de sueño y yo sólo quería seguir comiendo. Incluso devoré los chocolates y los cacahuates del minibar de la habitación.

Gracias a esa comilona, al día siguiente tenía los bracitos flacos, flacos y la panza enorme. Pero eso no me bastó; en el aeropuerto, esperando el avión para Chihuahua, desayuné otro banana split y muchas cosas más. Creía que todo era un sueño, que debía aprovecharlo, porque tal vez al día siguiente o muy pronto me viera obligada a comer "la caja" con mi vómito.

A los pocos días de las llamadas que hizo desde Brasil —narra la mamá de Karina— a mi hija la entrevistaron en una televisora y fuimos por ella. Nos enteramos de que había llegado a México por un familiar que nos avisó que la estaban entrevistando en la televisión. En ese instante hablé con el abogado y viajamos a México en compañía de mi hijo y de la licenciada del Ministerio Público de Chihuahua, Carmen Quintana. Como no había lugares en el avión, alguien, no recuerdo quién, nos consiguió cuatro boletos, pues era un asunto prioritario. Al parecer la licenciada viajó con el fin de detener a Marlene Calderón y trasladarla a Chihuahua.

Fue maravilloso abrazar a mi chiquita. Me partía el corazón darme cuenta de cómo adelgazó, parecía que no hubiera comido en meses. El resto ya se sabe: traía la consigna de defenderlos a como diera lugar, y eso creó muchos sinsabores en nuestro hogar y mucha rebeldía de parte de ella hacia nosotros. Parecíamos sus peores enemigos; ésa no era mi hija, la niña que antes de irse con ellos era tierna, cariñosa, inocente; mi niña querida, nuestra reina que de cualquier manera y en todo momento nos hacía saber y sentir que nos quería. Ahora se portaba rebelde, grosera, soberbia; peleaba mucho con su hermano y su mirada estaba llena de ira hacia nosotros. En eso la habían convertido esas personas. Era como un soldado preparado para combatir contra el "enemigo", aunque estos enemigos fueran su propia familia.

Su actitud nos desconcertaba, pero confiábamos en que Dios la ayudaría y pronto pudiera decir la verdad. Por nuestra parte, la apoyamos incondicionalmente.

A mi hijo Daniel le causaba un gran pesar el comportamiento de su hermana; a veces quería abrazarla y besarla para compensar el tiempo en que no lo hizo por las circunstancias vividas. En ocasiones lo sorprendí llorando, tal vez porque sentía que no podía hacer nada por nosotros, porque veía que también sufríamos por nuestra hija.

Recuerdo un día, antes de que supiéramos algo de Karina, que Daniel y yo fuimos al templo como todos los domingos. Al final del culto se acostumbra invitar a las personas que traigan peticiones urgentes para orar en su favor. Entonces yo, desesperada e impulsada por mi profundo deseo de que el Señor me trajera pronto a mi hija, sana y salva, pasé al frente y me hinqué sollozando quedito y rogando con todo mi corazón. A mi espalda estaba una persona que lloraba tan desgarradoramente que cuando la escuché dije: "Señor, perdóname, pero por el llanto de esta persona creo que su petición es más urgente que la mía, concédele lo que te pide". Y resultó que esa persona era mi hijo, bañado en llanto. Y Dios nos concedió a ambos nuestra petición, porque a los pocos días hizo que mi hija se comunicara con nosotros. Yo le doy la honra y la gloria a mi Dios.

De regreso en Chihuahua me llevaron a casa de mi abuelita, porque los reporteros rodeaban la de mis papás. Mi hermano y un amigo que se llama Rodrigo me trajeron a Francisco Ariel y por fin lo vi. "¡Bendito seas, Señor Jesucristo! Me concediste la gracia de ver de nuevo a mi precioso hijo", me repetía. Después de tanto sufrimiento, ese día tenía una gran recompensa.

Tuvieron que meterlo por el patio de atrás para que los reporteros no lo vieran. Cuando lo tuve entre mis brazos me solté llorando. Estaban presentes el subprocurador Guillermo Márquez, la licenciada Carmen Quintana, creo que el procurador y el abogado. Supongo que fue un momento emotivo para todos.

Fue muy difícil enfrentarlo porque era una extraña para él, y aunque podía considerarse algo normal por todo el tiempo que estuvo lejos de mí, no pude evitar sentirme triste. Él estaba más grande y gordito; era y sigue siendo un niño maravilloso que Dios ha bendecido.

Estuve sumamente deprimida bastante tiempo porque sentía que Ariel no me quería; cada vez que intentaba acariciarlo se asustaba y se alejaba; llamaba mamá a su abuela, mientras que a mí me decía Kari; de hecho, todavía lo hace.

En esos momentos anhelaba que mis papás retiraran la demanda para poder decirle a Sergio que no iba a regresar con él y así todos me dejaran en paz. Sin embargo, en mi mente seguían imperando las órdenes precisas que se me dieron: debía defenderlos a toda costa. No podía decirle a nadie la verdad; debía limpiar sus nombres. Era tan horrible lo que viví con ellos que aunque me decidiera a contarlo, nadie me creería. Pienso en lo que Sergio afirmaba: que en realidad lo único que deseaba era ayudarnos a ser mejores. Pero, ¿por qué tantos maltratos?, me preguntaba una y otra vez. Vivía presa de la confusión y de los nervios.

En varias ocasiones alguna persona me dijo que ya habían localizado a Gloria, Sergio, Mary y las demás. Por tal motivo ese día, cuando escuché a mi hermano contento decir que los habían capturado, no lo creí. Sin embargo, al ver las noticias escuché que los aprendieron en el barrio Barra da Tijuca; entonces supe que era verdad. Se me empezó a bajar la presión; no lo podía creer, tenía mucho miedo pues no había logrado anular la demanda. Cuando vi la cara de Sergio en los periódicos, su penetrante mirada me estremeció. Empecé a preocuparme por cómo sacaría adelante sus órdenes. Lógico que cada día trataba peor a mi familia; no quería saber nada, estaba concentrada en mi misión y la lucha era salvaje.

A su llegada a México, tan pronto aparecieron en la portezuela de la aeronave, las hermanas De la Cuesta fueron interceptadas por agentes de la PGR y de la Procuraduría de Justicia de Chihuahua. Katia quedó detenida. Karla y Karola cargaban a sus bebés de once y cuatro meses de edad, respectivamente.
23 de enero de 2000
La Jornada

Karina cuenta en el juzgado lo que le ocurrió mientras Marlene estaba en la cárcel: "Me llamó varias veces a mi casa la señora Leticia Derat (madre de Marlene). A veces la comunicaba su hijo mayor, Víctor. No contesté todas las llamadas; sin embargo, cuando llegué a hablar con ella me dijo que todo iba a salir bien y me pidió que ayudara a Marlene a salir de la cárcel.

"También existió comunicación con los abogados de la defensa, incluso una entrevista personal con uno de ellos. En cierta ocasión, en el juzgado Cuarto de lo Penal, el licenciado Arturo Grado Flores me dijo que era urgente que me comunicara con él porque tenía que leerme un fax que Sergio me mandó desde Brasil. En ese acto estuvo presente el licenciado Moisés Yáñez, abogado de Katia, quien parecía tener conocimiento de lo que me decía el licenciado Grado. Este último me dijo que siguiera adelante, que le echara ganas y que "Sam" (sobrenombre acordado para Sergio, mismo que yo conocía) me mandaba decir que me amaba.

"Nunca vi físicamente el fax, pero el licenciado Arturo Grado me leyó su supuesto contenido por el teléfono celular del agente Velarde, uno de los que me custodiaban. Incluso el señor Grado perdió unas claves enviadas por Sergio para que yo supiera que el mensaje era fidedigno.

"Más adelante recibí indicaciones, supuestamente también de Sergio, a través de otros abogados de la defensa como Marcelo Suárez y Alejandro Jaimes, con quienes hablé algunas veces desde teléfonos públicos y otras desde mi casa. No recuerdo si el número para comunicarme con ellos me lo proporcionó el licenciado Grado o Karla de la Cuesta. Algunas llamadas fueron por intercomunicación desde el despacho de Suárez, Jaimes y Asociados. Como los abogados no se encontraban en el despacho, una persona que estaba ahí me intercomunicaba con ellos; de igual manera, hubo intercomunicación desde esa oficina hasta Brasil para que pudiera hablar con Sergio.

"La primera vez me identifiqué con mi nombre y alguna otra vez lo hice con uno de los apodos que tenía dentro del grupo, que era 'Beto', pero de parte de Karla se me dijo que no podía seguir usando ese apodo porque ya era conocido, tanto por las autoridades como por otras personas; por ello, comencé a identificarme como 'Lucía'."

Las indicaciones que recibió Karina fueron: "Que me fajara los pantalones y que cómo era posible que no pudiera hacer cambiar a mis papás de opinión, que qué pasaba conmigo.

"Debía comunicarme y asesorarme con los abogados o con Karla de la Cuesta; tenía que visitar a Marlene y a Katia; debía sostenerme en lo que se había hablado y lo que se tenía que decir; de no lograr hacer cambiar a mis papás de opinión, tenía que conceder entrevistas, incluso con mi hijo presente, para defender en público a Sergio; por lo menos presionar de la manera que me fuera posible, e incluso ir a hablar con el gobernador. Por eso busqué momentos oportunos para hacerlo, como cuando salí de mi casa para dar una entrevista a *El Heraldo de Chihuahua*.

"Otras indicaciones fueron: que yo alegara que cómo era posible que mis padres tuvieran al padre de mi hijo en la cárcel; que era urgente que me comunicara con Karla de la Cuesta para que ella o los abogados de México me explicaran cómo marcar a Brasil para hablar con él, incluso que me dieran el número de teléfono; y que lo hiciera lo antes posible. Los días para llamarle eran los lunes muy temprano, ya que sólo podía recibir una llamada a la semana por persona. Hablé con Karla y me dijo cómo marcar."

Como Gloria me había estado aleccionando en Brasil, en una de las llamadas le pedí permiso a él de hablar con ella para que me dijera qué hacer; me contestó que sí pero que le diera tiempo de conversar con ella antes. Cuando me comuniqué con ella noté su afán en que yo dijera que eran inocentes; cuando yo le mencionaba algo de lo de Brasil o alguna otra situación similar, ella me interrumpía y no me permitía terminar la frase. Como siempre, yo tenía que ceder a todo lo que ellos dijeran y, aun así, en una llamada posterior Sergio me amonestó al respecto. Algunas veces, en cambio, me hizo saber que Gloria y Mary me mandaban saludos.

Ya estando en México y antes de decir la verdad, cuando me comunicaba con Sergio —lo hice unas siete veces—, él se dirigía a mí de una manera por completo distinta; parecía otro. Con voz muy suave, decía que me quería mucho, que sólo había pretendido que yo fuera la mejor persona. Que nunca quiso perjudicarme. Que por favor no dejara de hablarle y que cuando pudiera lo comunicara con Francisco Ariel, pues necesitaba escucharlo.

Quería que me comunicara con sus abogados para que me asesoraran. De hecho, por medio de ellos y de Karla, me mandó decir que convenciera a mis padres para que me dejaran casarme con él; que les dijera que pondría todas sus propiedades a mi nombre, las cuales serían un patrimonio para el niño (como si eso fuera a convencer a mis papás. Qué bueno que ya se dio cuenta de que mi familia no es así). También deseaba que hablara con el gobernador de Chihuahua para tratar de evitar que los trajeran y los juzgaran aquí.

Me decía que me extrañaba mucho, que en el tiempo que había tenido para reflexionar se dio cuenta de que hizo algunas cosas mal, pero que estaba arrepentido; que mi hijo debía tener un padre y así sería; que deseaba venir a vivir conmigo y con mi familia cuando, según él, nos casáramos y que ya no vería a nadie más; que se dedicaría a trabajar para mí.

Es obvio que pretendía conmoverme, causar lástima, y lo logró en repetidas ocasiones. Seguía teniendo una autoridad suprema sobre mí (gracias a Dios ya me libré de eso). Yo no sé si se le olvidaba cómo me golpeaba, cómo me trataba y cómo me hablaba cuando no había nadie que lo detuviera. No sé de dónde sacó ese "amor paternal" ahora, cuando sabe que él no quería hijos varones, que no se cuidó bien a Francisco Ariel y que dio la orden de abandonarlo en un hospital en un grave estado de salud. Y cuando, además, lo golpeó casi recién nacido.

No sé cómo se atreve a decir que me amaba si además, de acostarse con las muchachas y sostener relaciones sexuales múltiples, me embarazó y meses después se casó con Sonia; y después embarazó a Karola y a Wendy y las mandó a abortar; e hizo lo mismo con Karla, quien tuvo un aborto natural; y embarazó a Sonia; y volvió a embarazar a

Se realiza el primer careo del caso, entre Marlene Calderón y el padre de Karina; éste afirma que los argumentos de Marlene son iguales a los de su hija y acusa a la demandada de ocultar el embarazo de Karina. 27 de enero de 2000 *El Diario de Chihuahua*

Karla y a Karola; y luego a Gloria y a Marlene. Pero, según él, me amaba mucho.

Pretendía casarse conmigo, sabiendo que estaba casado con Sonia y aunque se divorciara tendría que esperar mínimo un año por ley para volver a unirse a alguien. Pero para él nada de esto es monstruoso... que Dios lo perdone.

El 8 de febrero de 2000, Karina se presentó en el juzgado como testigo en el proceso contra Marlene Calderón y Katia de la Cuesta. Influenciada aún por las órdenes que le había dado Sergio Andrade y con un profundo miedo declaró: "Nunca he sido violada o maltratada por Sergio Gustavo Andrade Sánchez, ni he estado nunca privada de mi libertad. No observé ni tuve conocimiento de que Sergio golpeara a alguna de las personas que conocí.

"Conocí a Sergio en la Ciudad de México durante una audición artística en el año de 1994 e inicié mis relaciones sexuales con él en marzo de 1997, en Ixtapa, Zihuatanejo, en un hotel, me parece que era el *Double Tree*. No recuerdo exactamente cuánto tiempo sostuve relaciones con él; es posible que haya sido durante una semana."

Al ver a Marlene en el juzgado me asusté mucho, fue como si hubiera visto a Sergio. Debido al miedo, la única verdad que pude decir fue que él era el padre de mi hijo. Pedí perdón al Señor por mis mentiras y lo único que deseaba era que pronto terminara toda esa pesadilla.

Desde mi regreso fui a consulta con varios psicólogos del DIF, pero no me sentía con la confianza

182

para contarles la verdad. Aún me sentía invadida por el pánico. Pero un día que nunca olvidaré acudí por primera vez con la licenciada Alma Gómez de Hernández, una excelente psicóloga que me ayudó muchísimo. Al principio me llevaron a la fuerza pero, gracias a Dios, logré abrir mi corazón con ella y contarle todo lo que he vivido.

Para el psicólogo —afirma la doctora Alma Angelina Gómez-Reyes de Hernández, terapeuta de Karina—, siempre ha sido un reto intervenir en casos donde se ha presentado un abuso a la integridad total de una persona, más aun tratándose de una menor de edad. En estas circunstancias el proceso de desarrollo y formación normativa, todavía no concluido por completo, ha sido interrumpido por personas que le inculcaron otro tipo de educación durante su desarrollo y formación de valores, no adecuados para su edad ni para su condición infantil. La consecuencia son los traumas psicológicos permanentes.

Éste era el caso de Karina Alejandra Yapor Gómez. Cuando el 11 de abril de 2000 fui requerida por la familia Yapor Gómez para darle tratamiento psicológico a su hija, aún menor de edad, ellos estaban sumamente preocupados por la actitud y el comportamiento agresivos y negativos que presentaba desde su regreso al hogar, después de poco más de cinco años de estar alejada de su familia.

El tratamiento inició el 14 de abril del mismo año. Karina acudió a la primera sesión terapéutica presionada por su familia y un tanto molesta por el hecho de acudir a un psicólogo más: la habían atendido ya varios y se le habían realizado diversas valoraciones psicológicas. No quería saber más del asunto.

En entrevista con un reportero de TV Azteca durante su traslado de la prisión de Río de Janeiro a Brasilia, Sergio Andrade negó los delitos por los que se le acusa y afirmó no ser satánico, sino creer en Dios. Sin embargo, se encontraron rastros de cuentas bancarias, videos pornográficos y armas en su casa de Ixtapa.
11 de febrero de 2000
El Heraldo de Chihuahua

Durante las declaraciones formuladas hace una semana ante el juez Silveira, Sergio Andrade admitió que mantuvo relaciones sexuales con Karina cuando ésta tenía catorce años. El Código Penal brasileño establece que tener relaciones sexuales con menores es un delito castigado con penas de uno a tres años de cárcel.
28 de marzo de 2000
El Heraldo de Chihuahua

Al conocerla me dio la impresión de ser una adolescente con una gran necesidad de ayuda y afecto; durante el transcurso de esa sesión se mostró amable pero cerrada a cualquier tipo de cooperación ya que sentía desconfianza hacia mi persona por ser una desconocida para ella.

Le informé que la sesión duraría sesenta minutos y que podría hablar de cualquier tema, que no la obligaría a contestar nada que ella no quisiera tocar. Empezó a hablar de lo que hacía antes: que era tecladista de Gloria Trevi; que había trabajado muy duro durante muchas horas para aprender, incluso sacrificando, entre otras cosas, horas de sueño y su alimentación. En esa sesión su charla fue evasiva con respecto a la situación de conflicto por la cual se encontraba ahí.

En las horas de conversación que sostuvimos —en vez de los sesenta minutos previstos, la sesión se prolongó a cuatro horas y media, sin que se diera cuenta; era evidente que estaba deseosa de conversar con tranquilidad de lo que quisiera, sin interrupción o con interrupciones mínimas, como cuando yo intervenía momentáneamente con alguna pregunta—, observé cómo influía todavía en ella el grupo al cual perteneció más de cinco años, y cómo prevalecía el poder sobre ella del líder ausente: Sergio Andrade.

Éste, mediante la formación de alianzas dentro de su grupo, hizo que Karina experimentara la dinámica de control y poder, el desarrollo de comportamientos complejos y anormales no comprensibles para ella y que, además, los aceptara en la interactuación continua. La sesión terminó cuando escuchamos que tocaban a la puerta de mi consultorio, pues su familia ya llevaba horas esperando.

Karina se despidió tranquila y satisfecha de la conversación que sostuvimos; en ese momento sentí que se había establecido la confianza y la empatía entre nosotras. Sabía que continuaríamos la relación por largo tiempo.

Ir a terapia con Alma fue lo mejor que me pudo pasar; a su lado me sentía más fuerte, más segura y apoyada para poder enfrentar todos esos años de sufrimiento y tristeza. Ella, mi mejor amiga, ha sido una bendición de Dios para mí y para mi familia. Después de realizarme distintas evaluaciones psicológicas, me explicó parte de mi problema y me animó para declarar la verdad de lo sucedido. A unos días de acudir a mi segunda declaración me dio confianza y me aconsejó: "Si vuelve a estar Marlene o cualquier otra persona presente, tienes que actuar con toda tu fortaleza".

Karina y yo tuvimos muchas sesiones más —prosigue la terapeuta—, de hasta ocho horas diarias, que lograron que poco a poco iniciara un proceso de cambio, hiciera consciente la realidad de su situación, y pudiera al fin declarar y denunciar ante las autoridades la serie de abusos de los cuales fue objeto desde su ingreso, a los doce años, al grupo de Gloria Trevi y Sergio Andrade con sus demás integrantes.

Karina es una adolescente muy valiente: primero luchó consigo misma para recuperar los valores perdidos; después nos dedicamos a trabajar muchas horas en la reestructuración gradual de una personalidad propia. Esto ha sido un gran logro para ella, ya que va avanzando poco a poco en la relación paciente-terapeuta. Además, ha nacido una sincera amistad entre ambas y entre nuestras familias, lo cual ha permitido que su restablecimiento sea más sustentado y firme. Igualmente, su fe en Dios es tan grande que se ha apoyado mucho en Él y en otros factores: el inmenso amor y apoyo que le han brindado sus padres;

No os hagáis tesoros en la tierra, donde la polilla y el orín corrompen, y donde ladrones minan y hurtan; sino haceos tesoros en el cielo, donde ni la polilla ni el orín corrompen, y donde ladrones no minan ni hurtan. Porque donde esté vuestro tesoro, ahí estará también vuestro corazón.
Mat. 6:19-21

el amor hacia su hijo, su hermano y su familia en general; el de sus amigos y compañeros de religión. Todo ello ha sido una gran motivación para seguir adelante en su recuperación, a lo largo de estas terapias psicológicas.

En marzo experimenté la peor pesadilla de mi vida al enfrentar a mi papá en un careo, al no poder decirle lo mal que me sentía, lo mucho que siempre lo he querido y cuánto anhelaba su perdón por haber mentido. Intenté hablar con la verdad, pero sencillamente no pude decirla completa. Pero esperaba, confiaba en que un día sería capaz de no callar más, ya no. Escuchar a mi papá me dio parte de las fuerzas que me faltaban para confiar en Dios y contar todo lo que viví en compañía de Sergio, Gloria y Mary. Él tuvo el valor de decir: "Mi hija es una mentirosa", y aunque en ese momento me dolió en el alma escucharlo, sabía que era cierto y a la vez deseaba que dejara de serlo.

Otro de los factores que me ayudó a tomar la decisión de decir la verdad fue acercarme a Dios, refugiarme en Él. Él me permitió ver las cosas con mayor claridad, sentir confianza en mí misma y luchar con Sus fuerzas y no con las mías: "Venid a mí todos los que estáis trabajados y cargados, y yo os haré descansar".

Un día, al abrir la Biblia después de una oración, me encontré con un versículo que decía: "El padre de la mentira es Satanás"; comprendí entonces que Dios me mostraba el camino para salir del infierno

186

en que vivía. Que "Si confesares con tu boca que Jesús es el Señor y creyeres en tu corazón que Dios le levantó de los muertos, serás salvo", y "Todo lo puedo en Cristo que me fortalece".

Mi fe resultó clave en mi recuperación pues Dios me llevó por el camino de la verdad y la libertad: "Porque estrecha es la puerta y angosto el camino que lleva a la vida y pocos son los que la hallan". Y hablando de nuestras necesidades nos dice: "Mas buscad primeramente el reino de Dios y su justicia, y todas estas cosas serán añadidas". Esto lo he constatado con claridad en mi vida.

Mis dudas y temores fueron disipándose con textos como: "Así que no los temáis; porque nada hay encubierto que no haya de ser manifestado; ni oculto que no haya de saberse".

Por fin comprendí que, por más grave que sea una cosa, es mejor reconocerla y arrepentirse, ya que: "El que halla su vida, la perderá, y el que pierde su vida por causa de mí, la hallará".

Todo lo anterior se conjuntó para decidirme a declarar por segunda ocasión en el juzgado. No lo hablé con nadie hasta después de citar a una conferencia de prensa. En ella dije la verdad y de ella se derivó la ampliación de mi declaración. Mi trato fue con Dios porque había cosas que ni a mi psicóloga le decía y ella siempre respetó mi privacidad.

Por eso son para mí tan importantes estas citas bíblicas que comparto ahora con mis queridos lectores. Un día de junio de 2000, antes de la conferen-

Y no temáis a los que matan el cuerpo, mas el alma no pueden matar; temed más bien a aquel que puede destruir el alma y el cuerpo en el infierno. Mat. 10:28

cia de prensa, le comuniqué a Sergio, quien estaba hospitalizado, que ya no estaba dispuesta a seguir sosteniendo la farsa. Había comenzado a vencer, aunque no del todo, el pánico producto de tantos tormentos físicos y morales a los que fui sometida desde los doce años y la influencia psicológica que tenía sobre mí. De cierta manera esa influencia continuaba, porque aún no podía manifestarle la verdad a otra persona que no fuera Alma. Sabía que me resultaría difícil pero estaba decidida a hacerlo y le pedía a Dios me diera fuerzas para llegar hasta las últimas consecuencias. A mi abogado se lo comuniqué después de la conferencia.

Otro de los versículos que mucho me reconfortó es: "Si Dios es contigo, nadie contra ti"; es decir, no tengo nada que temer porque Él es el más poderoso y me protegerá siempre.

Cuando pensaba en la facilidad con que ellos, después de ser capturados, se dedicaron a hablar de Dios y de Su justicia, buscando confundir a la gente, fui convenciéndome de que Él también nos alerta al respecto: "Así que por sus frutos los conoceréis"; "El que no es conmigo, contra mí es y el que conmigo no recoge, desparrama", Mat.7:20 y 12:30.

Yo no sé de términos de psicología pero, aparte de Dios y de la ayuda de la gente que me quiere, mi familia y mi psicóloga, creo que para tomar esta determinación sí influyó en mí el hecho de oír a un

Sergio distinto, a un Sergio desgastado y débil, que no podía ya dominarme con su mirada o con la dureza de su rostro; que me pedía perdón, aunque fuera de dientes para afuera; que sabía cuán cercano está el día en que tendrá que pagar lo que hizo y que le debe mucho a la justicia. Todos estos factores influyeron para que yo venciera el miedo a hablar con la verdad.

Claro, prevalecían en mí ciertos temores, relacionados con lo que relato más adelante, pero no se comparaban con el terror que antes sentía por lo que podría sucederme si me retractaba.

> A las diez de la mañana del 26 de junio de 2000, en Aquiles Serdán, Chihuahua, Karina Alejandra Yapor inició la ampliación de su declaración. Ante el rostro preocupado de la inculpada por rapto, violación con penalidad agravada y violación genérica, Katia de la Cuesta Soria, una Karina segura de sí misma declaró tajante: "Es la verdad y existen pruebas. Gracias a Dios he podido vencer muchos de los obstáculos psicológicos que tenía para hablar de ello. Ya no estoy dispuesta a seguir sosteniendo la farsa que se pretendió hacer pasar por verdad desde mi llegada".
>
> Karina ratifica ante el juez sus comentarios a la prensa: "El 17 de junio realicé esas declaraciones porque son la verdad, y yo redacté el documento que leí durante la conferencia de prensa".

Cuando rendí mi segunda declaración lo hice en presencia de Katia. El propósito era ejercer más presión sobre mí y así garantizar que no dijera la verdad.

La palabra de Dios es viva y eficaz, y más cortante que toda espada de dos filos; y penetra hasta partir el alma y el espíritu, las coyunturas y los tuétanos, y discierne los pensamientos y las intenciones del corazón. Y no hay cosa creada que no sea manifiesta en su presencia; antes todas las cosas están desnudas y abiertas a los ojos de Aquel a quien tenemos que dar cuenta. Hebreos 4:12 y 13

Karina responsabilizó a Andrade, Gloria y "Mary Boquitas" de haber prefabricado las declaraciones que hasta ese momento había rendido ante las autoridades judiciales. 18 de junio de 2000
La Jornada

Sin embargo, la palabra de Dios hizo, primero, que pudiera confiar en Alma y después, que tomara el camino correcto de la verdad.

Cuando Karina amplió su declaración —la madre de Karina expresa—, llegó a nosotros la esperanza de que por fin se hiciera justicia. Sabíamos que todavía quedaba mucho camino por recorrer; muchas horas de angustia nos faltaban por vivir, pero lo más importante era que nuestra hija por fin estaba diciendo la verdad. Habíamos recuperado a nuestra pequeña, lo cual constituía un enorme consuelo y nos animaba para seguir luchando. Nos propusimos estar junto a ella, apoyarla siempre. Era impactante: Karina era otra, distinta de la que vivía subyugada, manipulada, aterrorizada y atormentada por Sergio Andrade. A partir de ese momento, y aun sabiendo que habría muchos conflictos por enfrentar, confiábamos en que todo saldría bien, confiábamos en Dios.

Dos días estuve declarando. Al terminar sentí un alivio indescriptible, combinado con una terrible tristeza pues la declaración me hizo percatarme de muchas cosas en las que por mucho tiempo preferí no pensar. Pero ahora me sentía mucho más tranquila. Mis padres se comportaron a la altura, me dieron todo su amor y su ayuda. Y mi hijo, ah, Francisco Ariel era un sol que me llenaba de esperanza para el futuro. Toda la familia me brindó su apoyo incondicional.

Tuve que desmentir ciertos malentendidos. En alguna ocasión se planteó que los Yapor eran ricos y poderosos en Chihuahua. Pues no, mi abuelita tiene una pastelería y mi papá y mi hermano un negocio mediano de renovación y fabricación de colchones; trabajan para hoteles, casas particulares y mueblerías. Es absolutamente falso que yo haya recibido un centavo por cambiar mi declaración. Lo hice porque estaba convencida de que era lo correcto y lo justo. La verdad no se compra con nada.

Cada vez que escuchaba las entrevistas que han dado Sergio, Gloria y Mary desde la cárcel, sentía mucha rabia y lástima. Esos sentimientos han ido desapareciendo porque Dios me ha dado paz interna, paz espiritual. Por eso ahora no albergo deseos de venganza. Está escrito que la venganza es mejor cuando es de Dios. Él me protege.

Otro versículo que me inspira dice: "debemos orar por nuestros enemigos, por los que nos ultrajan y nos maldicen", Lucas 6:27 y 28. Yo digo mis oraciones todos los días.

Y sí, después del tiempo que ha pasado, a pesar de que he tenido pesadillas —sueño que Sergio me persigue para matarme...— después de las cuales despierto muy sobresaltada, me pongo a orar por la salvación de ellos y a pedir que no suceda nada malo. Sé que al final pagarán por todo lo que hicieron y eso me tranquiliza. Confío en que pronto se hará justicia: si es con una tortura, con una tortura;

Karina cambia su versión y acepta los hechos que se imputan al compositor veracruzano. Comienza a reintegrarse a su familia. No se le abrirá investigación por haber mentido en la primera declaración, ya que estaba bajo la influencia psicológica de sus agresores. 19 de junio de 2000 *El Heraldo de Chihuahua*

El psicólogo forense afirma que Karina logró "matar" a Sergio al escucharlo debilitado en el último telefonema; ahí se dispararon todas sus memorias. 19 de junio de 2000
Reforma

si es con la cárcel, pues con la cárcel; será como Dios lo disponga.

Así como Él ha tenido misericordia de mí y de mi familia, espero que la tenga de ellos también. Ojalá que Sergio, Gloria y Mary sean sometidos a un juicio justo; con eso me basta.

Aun sin quererlo, de pronto mi vida privada dejó de serlo por completo. Para evitar las tergiversaciones, decidí aceptar la invitación de un programa de televisión. La experiencia fue difícil, pero creo que todo salió bien y que, a pesar de que me sentía triste y cohibida, pude hablar de lo sucedido.

Es una cosa muy curiosa, ahora que he tenido oportunidad de reflexionar, me doy cuenta de que Dios y Sus designios han estado presentes en este caso desde el principio. Algunas coincidencias lo comprueban:

La primera ocasión que Sergio tuvo un acercamiento sexual conmigo fue el 13 de noviembre de 1994; el 13 de noviembre de 1999 murió su hija, la más deseada, la de Gloria.

En otro momento, Gloria se burló de la Virgen de Guadalupe al decir en el Auditorio Nacional que se retiraría porque Sergio estaba enfermo de cáncer y pedir al público que le rezara a la Virgen por él cuando, desde luego, esto no era cierto. Mi hijo nació un 12 de diciembre, día de la Virgen, y por él —y por Aline— fue posible que se diera a conocer la verdad sobre Sergio y Gloria. Esto no es casualidad sino obra de Dios.

De igual manera, las pruebas de embarazo que les hizo a Liliana y a Marlene salieron equivocadas: la de la de la primera resultó positiva y no estaba embarazada. En tanto que la de Marlene arrojó un resultado negativo cuando sí lo estaba. Por eso decidió mandar a esta última conmigo a México, creyendo que no estaba embarazada.

Yo me imagino que ahora el propósito primordial de Sergio es tramar cuanta estratagema se le ocurra para no poner un pie en México. Sabe lo que hizo, sabe que no tiene la conciencia limpia.

Ahora bien, en el caso de Gloria y Mary, estoy segura de que uno de los peores castigos para ellas ha sido no poder estar cerca de él, como lo estuvieron durante tantos años. Han de sentirse muy mal. Tal vez nos guarden mucho rencor, pues, según ellas, las traicionamos en lugar de haber callado.

Me causa tristeza saber que ninguna de las dos va a cambiar; ojalá Dios les dé fuerzas para soportar lo que les espera, porque no creo que quieran decir la verdad y aceptar su culpa, admitir que han hecho mucho daño. Siento lástima por ellas; sus vidas están vacías; no tienen una familia que las ayude, no a salvar su cuerpo sino su alma. No tienen a Dios; no tienen nada.

Cuando estaba cercano mi viaje a México, Sergio llegó a decirme que los cristianos eran una basura,

La defensa de Andrade responsabiliza a las autoridades de Chihuahua de presionar a Karina para dar una nueva versión en la que acusa a "Mary Boquitas" de convencer a las menores para tener relaciones sexuales con Sergio y a éste de malos tratos, vejaciones y abuso.
20 de junio de 2000
El Heraldo de Chihuahua

que éramos unos idiotas; se burló de nosotros, junto con las demás. Incluso le prometí que llegando a México bautizaría a Francisco Ariel por la fe católica, y ya satisfecho de humillarme, me dijo que mejor esperara para no buscar más problemas con mi familia.

En la revista *TVynovelas*, número 37, del 14 de septiembre de 1999, en una nota publicada por Armando Zenteno, apareció una reproducción de una carta de Gloria a Sergio donde lo llama "mi amor" y "la máxima creación de Dios"; donde afirma que no quiere y no "concibe" vivir sin él. Dice que la vida en familia —como la de una persona que menciona—, con su novio, en su casa, con amigos y con libertad para hacer lo que uno quiera, es una "linda vida para mediocres".

En la misma revista, en el número 40, del 5 de octubre de 1999, Armando Zenteno publicó una carta de Marlene, fechada aparentemente el 4 de agosto de 1993, en la que afirma que lo ama, que quisiera estar con él todo el tiempo; que él le había dicho que "no tenía por qué estarle pegando a cada rato", pero ella afirma que "como él quiera, que es su esclava y es suya para lo que sea y merece que la castigue cuantas veces quiera por ser como es". Que él "es su único motivo de vivir".

No cabe duda de que todas hablábamos igual, siguiendo el modelo de Gloria y Mary.

Cada día acuden recuerdos a mi mente; por ejemplo, estuve pensando en el día en que Katia y Marlene tuvieron un accidente muy grave. Iban por la carretera de Cuernavaca, rumbo a una presentación de "Mary Boquitas". Katia conducía el automóvil cuando éste se volcó; primero chocaron contra el muro de contención y cayeron del otro lado de la carretera, en el sentido opuesto a aquel en que circulaban.

Katia llamó llorando y me pidió hablar con Sergio, quien a gritos le dijo que no se movieran hasta que él llegara. Como le informaron que ya había llegado la ambulancia, en una reacción que sería de esperarse de él, les ordenó que no se fueran con ningún paramédico.

El vehículo no se recuperó, fue pérdida total.

Sé que recuerdos como éste seguirán viniendo a mi mente; es muy pronto para poder olvidar, pero espero un día despertar pensando en otras cosas y no en hechos tan lamentables.

Karina resume para las autoridades cómo fue su vida al lado de Sergio y Gloria de la siguiente manera: "Nunca tuvimos diversiones, aunque llegamos a ir a algunos lugares, pero nunca en condiciones normales, sino con el régimen establecido por Sergio. Por ejemplo, recuerdo que en los restaurantes siempre le tenía que preguntar qué deseaba él que yo comiera y en qué cantidades. No podía mirar a ningún hombre; a los meseros no debía pedirles las cosas por favor ni darles las gracias ya que, según él, ésa era su obligación y por ello se pagaba. Tenía que estar atenta a

Sergio Andrade admite haber tenido relaciones sexuales con algunas integrantes del grupo, pero niega haberlas forzado. Juró con una mano en la Biblia que en ningún momento violó a Karina y que sus padres tienen gran parte de culpa en los cambios de su declaración. 12 de julio del 2000 *Primer Impacto*

El 23 de junio, Marlene Calderón Derat dio a luz a un varón cuya paternidad se atribuye a Sergio Andrade. 14 de septiembre de 2000 *Hechos, Fuerza Informativa Azteca*

sus necesidades; no hacerlo me provocaba graves problemas porque, según él, era una falta de respeto y muestra de desinterés.

"Alguna vez jugamos básquetbol, aunque era yo a la que siempre se le exigía más. Sergio me ponía a dar vueltas a la cancha hasta que lo hiciera a la velocidad que él quería; llegué a perder el aire y en algún momento estuve a punto de desmayarme por el esfuerzo que tenía que hacer.

"Todos los viajes los hice por instrucciones de Sergio y nunca como paseo, ni cuando fuimos a Argentina, a Brasil o a otros lugares. Cuando fue por trabajo, siempre tenía que llevar conmigo un teclado Korg X-3, conectarlo en mi habitación y estudiar con audífonos hasta el momento del ensayo."

Es increíble que Gloria diga que su sueño es formar una familia, cuando ellos destrozaron los sueños de tantas jovencitas. Lo mismo sucede con Mary; cómo puede ser que diga que nunca le han hecho daño a nadie ni ella, ni Gloria, ni Sergio. Aún no logro comprender su forma de vivir y de pensar.

Por ejemplo, en mi caso tendrán que pasar muchos años para que logre recuperarme de todo esto, para que pueda pensar en casarme y construir una familia. Pero Dios estará siempre conmigo para ayudarme; ése es mi consuelo, junto con mi hijo, a quien ahora debo cuidar. Él me necesita, pues su estado físico y psicológico fueron afectados y requiere toda nuestra atención.

En aquella época, cuando Mary llevó a Francisco Ariel, de siete meses de edad, a la clínica en

España, mi hijo presentaba un grave estado de salud: tenía diarrea y gastritis, rechazaba el alimento, le secretaba un ojo. Estaba muy mal y me enteré tiempo después, al leer el estudio médico. Una sensación de ira se apoderó de mí, ya que es una criaturita que no tiene culpa de nada.

Al recordar que no me permitieron darle bien de comer; que nunca le di la alimentación debida; que yo tenía que comer cascarones de huevo, cáscaras de naranja y tantas cosas horribles, mientras Sergio disfrutaba huevos con jamón o rancheros que Gloria le preparaba, siento una profunda tristeza.

Creo que uno de los factores para que en este año y meses yo haya subido de peso es que cuando estaba con el grupo veía comer a Sergio cosas que siempre se me antojaban y que ahora quiero probar o disfrutar hasta satisfacerme: galletas rellenas de crema, pastel de aritos, bebidas de rompope preparadas en la licuadora, licuados de cereza con ron y leche; cuando que en nuestro caso era necesario estar muy muy bien con él en ese momento para que nos permitiera probarlas.

¿Cuánto tiempo me tomará olvidar? Quizá nunca lo consiga. Pero Dios hará que pueda recordarlo con el menor dolor posible.

**Después de más de un mes de estar internado en un hospital debido al Síndrome de Guillain-Barré, Sergio Andrade revela a *Primer Impacto* que tuvo una hija con Gloria, la cual murió a los treinta días de nacida.
10 de julio de 2000**
El Norte

"Nunca se abrieron cuentas bancarias ni se adquirieron propiedades a mi nombre", explica Karina al juez.

"Las propiedades se compraron a nombre de Sonia para que en ningún proceso legal contra Sergio Andrade se las pudieran quitar. En el caso de otras personas que adquirie-

En *Primer Impacto* Andrade declaró que "Karina y su gente" se están metiendo en "camisa de once varas" al difamarlos; que si existe en realidad la justicia podrían terminar ellos —Karina y su gente— en la cárcel, acusados por las personas cuya imagen ha sido afectada y dañada por esas calumnias. 10 de julio de 2000 *El Norte*

ron propiedades, el fin era evadir impuestos y que éstas se hicieran responsables de las cuestiones fiscales; por ejemplo, poner a nombre de Karla y Katia de la Cuesta las acciones de la compañía Conexiones Americanas.

"El dinero para adquirir los inmuebles, para nuestra manutención, para los viajes, provenía principalmente de la carrera artística de Gloria. Además, Sergio no gastaba en jardineros, cocineros o gente que limpiara la alberca y las casas; ni en representantes de relaciones públicas, ni en la mayoría de los músicos, ya que todo esto y muchas otras actividades las realizábamos las personas del grupo y sin paga alguna. Tampoco gastaba en productos para nuestro aseo personal ni en ropa; cada una los traía de su casa."

Me parece poco probable lo que Gloria ha declarado a la prensa de que no tiene ya propiedades; tal vez las tenga a nombre de otras personas, lo mismo que Sergio.

En el tiempo que ha transcurrido desde su encarcelamiento, en algunos medios se ha especulado con la posibilidad de que Sergio, Gloria y Mary estén enfermos. Pues no, para mí ninguno de los tres lo está; no están locos. Siempre han estado conscientes de todos sus actos. Con inteligencia, como en un juego de ajedrez, que tanto le gusta a Sergio, así se planeaba cada uno de nuestros movimientos. Él tiene una inteligencia superior, que al final le falló, tal vez porque se vio acorralado y porque la justicia imperó.

"Durante el tiempo que estuve en el grupo no recibí una preparación cultural específica —precisa Karina en el juzgado—; sin embargo, sí obtuve nuevos conocimientos de algunas lecturas, de datos y cosas que escuchaba de Sergio o al llegar a algunos lugares.

"Aprendí algo de poesía de Lope de Vega, Luis de Góngora y López Velarde; de hecho, a estos autores los conocí porque a veces, para solucionar un problema o como castigo, Sergio me ordenaba que me aprendiera de memoria y con la puntuación exacta algunas poesías."

El tiempo que ha transcurrido desde que conocí a Alma no ha sido suficiente para dejar de revivir, por las noches, las órdenes de Sergio que resultaban imposibles de cumplir. Por ejemplo, cuando me mandaba subir por algo a la habitación del segundo piso de la Casa Rosa, debía envolverme con una sábana y arrastrarme por el piso de la terraza, entrar al cuarto, tomar lo que me había pedido y, por supuesto, hacerlo rápido.

Las veces que tuve que cumplir esa orden me sentía muy mal porque no sabía qué parte obedecer primero: si la de hacerlo rápido, la de ir a buscar la sábana o la de subir arrastrándome.

Eso me causaba mucho conflicto y me angustiaba; siempre me salía algo mal: lo hacía rápido pero sin ir primero por la sábana, avanzaba arrastrándome pero no rápido. Era terrible, porque cada error significaba un castigo.

En Brasil era igual. Como vivíamos en departamentos pequeños, si se me llegaba a caer algo al

Los familiares de Marlene venderán propiedades, automóviles y pedirán un préstamo para pagar la elevada fianza de un millón ciento cuarenta y nueve mil pesos impuesta por el juez cuarto de lo Penal para su liberación.
11 de julio de 2000
El Norte de Monterrey

Como buena cristiana, Gloria Arredondo, abuela de Gloria Trevi, no tiene ningún pensamiento negativo, ni le guarda rencor a Sergio Andrade por las confesiones que hizo hace unos días.
23 de julio de 2000
El Norte

piso que se escuchara abajo, me castigaba. Si lavaba un plato, debía agarrarlo con ambas manos y con sumo cuidado para no hacer ruido alguno y, al mismo tiempo, con rapidez porque, según él, no iba a estar horas lavando los trastes. Era una presión indescriptible que a veces me nulificaba. Hoy puedo actuar como una persona normal.

Gracias a Dios y a la psicóloga —comenta el padre de Karina—, mi hija dejó de sentir tanto miedo, aunque sabíamos que no estaría tranquila hasta que se hiciera justicia.

Ella contó siempre con todo nuestro apoyo y cariño para superar el dolor producto de esos años de infierno. Nosotros también hemos tenido mucho que superar y encarar, pero sobre todas las cosas estaban —y siguen estando— ella y su bienestar.

Kari se sentía deprimida pero, dado que es una mujer valiente e hiperactiva, confiamos en que saldrá adelante.

La familia entera nos apoyó y comprendió lo terrible que fue descubrir lo que vivió nuestra hija. Juntos empezamos una nueva etapa poniendo nuestro mejor esfuerzo para que nuestro nieto sea un niño feliz.

Otra de tantas cosas que no sé si podré olvidar algún día es la última relación sexual múltiple en la que participé. Fue en noviembre de 1999 y participamos Gloria, Wendy, Marlene, Karola, Sergio y yo. Se quedó grabada en mi mente y me dejó el corazón destrozado. Pero mi dignidad no lo está; ya no. Estoy convencida de que cada persona vale por sí misma, a pesar de todo lo que haya sufrido.

Karina requerirá un mínimo de cinco años de terapia —advierte la terapeuta Gómez de Hernández—. En su caso, ésta representa un proceso de recuperación que requiere tiempo debido al trauma psicológico que presenta, relacionado tanto con el choque emocional intenso ocurrido más de cinco años atrás, durante su vivencia traumática de todos conocida, como con la impresión o huella que ese choque ha dejado en su estado psicológico. Por ello mi recomendación ha sido continuar con el tratamiento terapéutico.

Por fortuna Karina ya logró concientizar el daño causado a su persona, reconociendo las circunstancias nocivas a las que estuvo expuesta y que vivió; por consiguiente, ya puede hablar del asunto, en las sesiones terapéuticas y en público.

No obstante, eso no significa que ya esté restablecida; presenta aislamiento; regresión a situaciones satisfactorias para ella; inseguridad extrema; preocupación por sí misma; rumiación acerca de su pasado; reacciones impulsivas; necesidad de satisfacción inmediata de sus peticiones; ansiedad manifestada con agresividad hacia los demás ya que se siente impotente e indecisa mostrando sentimientos de debilidad. De igual forma, muestra un yo débil debido a la persuasión a la que fue inducida por más de cinco años (de los doce a los diecisiete años) para hacer y creer todo aquello de lo cual se le persuadió; esto fue o pudo ser tanto real como falso, o basado en consideraciones irracionales y coercitivas, ya que modificó radicalmente su pensamiento por sometimiento, anulando la autonomía de su propio pensamiento. Hay también en ella un fuerte conflicto y preocupación respecto a otra relación sentimental, lo cual la lleva a la renuncia a establecer contactos más personales y relaciones psicosociales. Refleja sentimiento de culpa respecto a situaciones pasadas, tiene mucha desconfianza

Marlene Calderón salió libre el 11 de agosto, después de ocho meses de reclusión y de pagar una fianza récord de un millón ciento cuarenta y nueve mil pesos; a la joven se le señaló como la "celadora" de Karina Yapor durante el tiempo que la menor estuvo en el clan Trevi-Andrade. 13 de agosto de 2000
El Norte de Monterrey

201

en los demás, aunque a la vez es dependiente. Su fuente más cercana de afecto es su familia.

Durante su terapia intensiva logró ya manejar diversos aspectos de enorme importancia: su buena apariencia; su dominio social compensatorio; su dominio social referente a la difusión de su situación conflictiva, familiar, social y legal; su reconocimiento de los elementos de la vida diaria y su empleo convencional; su habilidad para apreciar de manera crítica los elementos de la realidad en general.

Karina aún tiene necesidad de adquirir seguridad, lucha por la autonomía e independencia personal para demostrar su fuerza y enfrentar todo directamente con una actitud de desafío y positiva.

En cuanto a su estado de ánimo, se siente preocupada, triste, amenazada, con una depresión fuerte debida a la indecisión y a un alto nivel de ansiedad. De ahí que tuviera que acudir al neurólogo quien le prescribió un antidepresivo, mismo que continúa tomando.

Lo anterior refleja que, aun a casi un año de terapia, Karina requiere mucho apoyo terapéutico, sustentado por el afecto, la confianza, la comprensión y el amor de sus seres queridos, que le permita seguir adelante en su lucha por recuperar su integridad personal y social.

Como terapia ocupacional he recomendado que siga superándose a través del estudio —debido a lo cual entró al Conservatorio de Chihuahua— y de una actividad de trabajo: escribir esa parte de su vida traumática en la cual estuvo separada de su familia. Sugerí que plasmara en el papel todo lo que recordara; que cada vez que algo más le viniera a la mente lo escribiera; que releyera todo y lo tomara como un canal de desahogo; que conforme recordara más situaciones vivenciales traumáticas hiciera conciencia y analizara cuán intensamente le afectaron.

Karina vivió en circunstancias colmadas de agresiones graves, infligidas por personas a quienes ella consideraba su familia, a quienes brindaba todo su cariño y afecto y quienes es muy posible que pensara que también la querían. Sin embargo, al sentir y sufrir en carne propia esos actos desagradables y traumáticos, en un esfuerzo por conservar su estabilidad y seguridad en ese ambiente hostil y punitivo, seguramente su tendencia fue olvidar los episodios; los justificó como una disciplina a seguir para aprender y para que se sintieran orgullosos de ella, y utilizó esta estrategia como un mecanismo de defensa que le permitiera seguir conviviendo y compartiendo con ellos.

Las experiencias amargas que escribió fueron de gran ayuda para redescubrir recuerdos en los que se podía intervenir terapéuticamente de manera más directa y acertada. Esto ayudó en gran medida a que lograra reconocer todo lo sucedido y, en especial, a que recobrara su autoestima. Así consiguió confrontar y denunciar con mayor seguridad, en público y ante la justicia, todas las vejaciones de las que fue objeto.

Una vez que escribió todas las situaciones de abuso que vivió por más de cinco años con Sergio Andrade, Gloria Trevi y María Raquenel Portillo, le sugerí que publicara un libro para que la gente conociera su verdadera historia.

Cuando pienso en los castigos que Sergio me imponía, me parece que uno de los peores fue que no permitió que me atendiera el severo acné que comencé a padecer en la adolescencia, debido al cambio hormonal que se produce a esa edad, exacerbado tal vez por las relaciones sexuales desde los doce años. Además, siempre estaba nerviosa y angustia-

Luego de dos años de no dar entrevistas para televisión, Gloria Trevi habla por primera vez desde la prisión de Brasilia a la cadena Telemundo, y describe para el programa *Ocurrió Así* su forma de vida en la Superintendencia de Brasilia. Habla del aborto; de su hija; de su relación con Karina; con Sergio, y de la bisexualidad. 16 de septiembre del 2000 *El Norte*

Sergio Andrade envía un comunicado al que adjunta fotografías tomadas en España a Karina, en las que ella luce alegre; de este modo piensa probar su inocencia.
3 de octubre de 2000
El Norte

da por el trato que me daba. Cuando comenzó a aparecer sentía mucha vergüenza al ver que las otras muchachas no tenían ese problema.

Durante mucho tiempo no tuve con qué lavarme la cara —lociones o cremas—, salvo en alguna ocasión en que Sergio autorizó a Sonia Ríos o a Mary que me compraran un producto, pero nunca bajo supervisión de un médico para mi caso específico. Por ello fue imposible evitar las marcas en mi rostro.

En España fui, por instrucciones de él, a escasas sesiones para mejorar mi aspecto ya que como estaba embarazada temía que en caso de pasarme algo se notara mi deplorable estado.

Me siento muy mal por haber quedado marcada. Desde hace años tengo que maquillarme muy bien, tratando de esconder lo más posible las huellas del descuido al que me vi obligada. Cada vez que me miro al espejo, me pongo triste, pues se pudo evitar. Las veces que visité a mi familia quería esconderme; mi problema era notorio y aunque mi mamá trató de ayudarme mandándome productos para combatirlo, Sergio no me permitió recogerlos.

Es triste; mi ilusión es continuar en el mundo de la música y en esa profesión la imagen es muy importante.

Espero un día poder hacerme un tratamiento para eliminar las marcas; ahora ni mi familia ni yo contamos con el dinero suficiente, pero quizás en un futuro cercano pueda borrar de mi rostro ese recuerdo tan doloroso.

El insomnio es otra secuela de todo lo sucedido. Estoy muy deprimida y aun cuando llevo un tratamiento con antidepresivos, en ocasiones lloro sin cesar. Creo que no es para menos y lo único que me queda por hacer es confiar en que el tiempo me ayude a borrar todas esas huellas que ahora parecen indelebles.

Las torturas de todo tipo eran verdaderamente insoportables. Quiero narrar, a manera de ejemplo, uno de los supuestos privilegios que Sergio otorgaba a aquélla que en ese momento tuviera pocos problemas con él: Sergio, a quien le gustaba mucho tomar Coca-Cola *Light*, le daba un trago y la dejaba arriba del televisor. Después de varios días llamaba a Mary o a cualquier otra persona y le decía: "Llévale esto a Karina, que se lo tome". Y claro, yo tenía que decir: "Ay, muchas gracias, qué lindo". Era asqueroso tomar un refresco sin gas, caliente, con restos de comida, con babas, con moscos, en fin, un vomitivo. Pero para él eso constituía un privilegio, y cuando tenía mucha sed llegó a serlo para mí también.

Una sensación terrible que me invadía mientras estuve bajo su influencia era que me resultaría imposible escapar de él, aun cuando fuéramos al cine o a otro lugar público. En efecto, algunas veces fui al cine con él; durante los primeros meses lo hacía para hacerme creer que era bueno y amable conmi-

Después de negar que Sergio Andrade fuera el padre de sus hijos, las hermanas De la Cuesta declaran contra él. Katia, actualmente encarcelada, dijo que prefería permanecer en la cárcel antes de volver un solo día a vivir con Andrade. 27 de octubre de 2000
Hechos y Ventaneando

Siguiendo con las denuncias "en cascada", la ex corista Wendy Castelo compareció este lunes para declarar contra Sergio Andrade. 13 de noviembre de 2000 *El Norte*

go. Ya dominada por él, no podía gritar ni mirar a nadie, ni siquiera a los actores en la pantalla; y si intentaba escapar, sabía que él me encontraría. Pensaba que le haría algo a mi familia, pues conocía a mucha gente importante y poderosa. Tuve que aguantarme.

Cuando llegué a casa, mi relación con toda persona era casi insostenible. Tenía bajísima mi autoestima, los nervios muy alterados y las cosas que viví me destrozaban más al darme vueltas en la cabeza sin poder liberarlas. Mi familia, con su infinito amor y paciencia, me ayudó a tranquilizarme poco a poco.

No quería ver a nadie ni salir a la calle y cuando lo hacía recogía mi cabello con una gorra, usaba lentes y me ponía pants de mi hermano para que me quedaran muy flojos. Mi mamá me compraba ropa juvenil y al medírmela me decía que se me veía bien, pero yo me enojaba y le gritaba que no era cierto, que me estaba engañando, que todo me quedaba mal y que no me vestiría como las demás jóvenes porque no lucía igual. Me sentía la persona más horrible del mundo.

Tenía miedo de convivir con la gente; no sabía cómo hacerlo, ya que muchos años viví de una forma aislada y distinta. Creía que todos pretendían hacerme daño. Que los hombres lo único que querían era sexo y que todas las muchachas eran unas cualquieras por tener muchos amigos. Así me enseñaron a pensar Sergio, Gloria y Mary. Para mí todos en el mundo eran mediocres.

Con la gran ayuda de Dios y de mi psicóloga fui recuperando mis valores y mi identidad. Sin embargo, he tenido que someterme a tratamientos especiales con antidepresivos, terapias y ejercicios, pues mi autoestima aún es muy baja, lo mismo que mi confianza en mí misma. Por la noche me invaden amargos recuerdos y cuando logro conciliar el sueño, tengo pesadillas; me siento perseguida y constantemente caigo en crisis depresivas y de llanto, muy fuertes, al grado de durar días sin querer salir ni hablar con nadie. Todavía necesito mucha ayuda y comprensión, gente que me quiera y me aprecie, amigos que me tengan la paciencia necesaria y el amor de Dios y de mi familia.

Pobre Gloria, ya no me infunde enojo sino una gran pena. Nunca pensé que estuviera tan perdida. Es necedad no captar los mensajes divinos. Un niño es abandonado con graves problemas de salud, en un lugar lejano, sin su mamá, y la poderosa mano de Dios lo guarda y lo trae a salvo a casa a miles de kilómetros de distancia; y una niña deseada, consentida, sana y cuidada se fue, indudablemente, a una mejor vida. A veces debemos abrir nuestro corazón y estar en la presencia del Señor para comprender sus propósitos. Gloria, Sergio y Mary pueden seguir burlándose de mi Dios, sin aceptar que Él ha venido a llamar a los pecadores al arrepenti-

Desde la cárcel en Brasil, Gloria Trevi no pierde la esperanza de volver a cantar y, sobre todo, de formar una familia muy numerosa. Dijo que se le acusa injustamente pero que se siente segura del cariño de su público.
13 de noviembre de 2000
El Diario de Monterrey

A once meses de su encarcelamiento, Gloria se da cuenta de que el asunto tomó dimensiones desproporcionadas y se dice lista para volver a México, donde espera que el "circo" que le han armado se venga abajo. "Ahora soy yo quien quiere justicia", afirma.
5 de diciembre de 2000
El Norte

miento. Sin duda, ellos están decidiendo su propio destino o, como expresa el dicho: "cavando su propia tumba".

En alguna revista me enteré del rumor de que tengo una relación con mi abogado. Eso es ridículo. Él es un hombre casado y respetable y aunque no lo fuera, yo no estoy aún en condiciones emocionales de comenzar una relación afectiva. Lo conocí cuando llegué a México procedente de Brasil. Yo no quería ni verlo, me caía mal y lo atacaba, pues él podría contraponerse a las órdenes que me diera Sergio. Al hacerme algunas preguntas le contesté con las mentiras que se me ordenó esgrimir pero, por supuesto, no me creyó.

Ya en Chihuahua, la comunicación se volvió más insostenible, hasta que comprendí que lo único que pretendía era ayudarme y reconocí que yo comenzaba a sentir una importante necesidad de decirle a alguien la verdad. Él no me tenía confianza, mucho menos después de que di una entrevista a *El Heraldo de Chihuahua* en la que dije una gran cantidad de mentiras, pues después del careo con mi papá Sergio se había molestado porque yo lo desobedecí y empecé a decir la verdad.

Era una lucha interna terrible para mí: por un lado estaba la realidad y por otro, las cosas que me metieron en la cabeza desde los doce años. Finalmente, mi decisión fue la correcta: hablar de los hechos

208

como habían sucedido. Entonces dije la triste verdad en una rueda de prensa y luego ante el juez.

Desde ese momento sentí que mi abogado comenzó a confiar un poco más en mí.

Su labor ha sido muy trascendente; con la ayuda de Dios logró rescatarnos a mi hijo y a mí y tenemos toda la confianza en que también logrará que impere la justicia. Sostenemos una buena amistad, pero cualquier otra cosa que se diga en los medios es infundada. Yo creo que se trata de chismes para desviar la atención de lo importante; tal vez hasta sean órdenes de Sergio para intentar desprestigiarme.

Gloria Trevi pide, en conferencia de prensa, que los organismos internacionales de derechos humanos intervengan en su caso. 6 de diciembre de 2000 *El Norte*

De todas las integrantes del grupo que conocí, Wendy, Katia, Karola, Karla, Tamara y Edith han hablado con la verdad. Ojalá que las que aún no la revelan lo hagan, aunque sea para poder vivir tranquilas con su conciencia toda la vida que tienen por delante.

Durante el tiempo que llevo en compañía de mi familia he reflexionado sobre la forma en que funcionaba el grupo de Sergio, Gloria y Mary.

Katia, por ejemplo, estuvo más tiempo en la cárcel que Marlene, porque ella vino por mí para ir a la audición en 1994 y fue una de las encargadas de cuidarme.

Al parecer todas tenían una "cuota". Según Aline, había la consigna de que cada una llevara a alguien al grupo. Dice que durante mucho tiempo no podía

El clan, a juicio. La Suprema Corte brasileña determinó que Gloria de los Ángeles Treviño, Sergio Andrade y María Raquenel Portillo sean extraditados a México para que enfrenten los cargos por corrupción de menores, abuso sexual y rapto.
8 de diciembre de 2000
La Jornada

dormir y tenía grandes remordimientos porque fue ella la que llevó a Marlene.

En mi caso, a Katia le tocó ayudar para que me integrara al grupo y es muy posible que Sergio le haya dicho: "Si tú vas y todo sale bien, te perdono tal castigo", o algo por el estilo.

Por fortuna, yo nunca tuve que hacerlo; estuve a punto de llevar a una prima. Sergio me lo exigió; me dijo que si no tenía hermana, que entonces llevara a una prima. Pero, gracias a Dios, ella no quiso.

Mis reflexiones y los recuerdos felices de mi infancia han sido mi único refugio y mis compañeros en todos estos años de sufrimiento, soledad, miedo y angustia.

Ariel, por fortuna, ya lleva una vida normal, con todos los cuidados necesarios para su desarrollo neurológico, ya que la desnutrición que padeció le ocasionó trastornos.

Espero que la verdad haga que todo caiga por su propio peso. Será difícil enfrentarlos en persona, pero si hay un careo con Gloria, le voy a contestar cada cosa que diga; me siento fuerte y Dios está conmigo.

Yo quise mucho a Gloria, la adoré. Creí en ella, le regalé mis mejores años y todos mis sueños. Ella me hizo creer que era mi amiga, que podría formar parte de su mundo; pero nunca imaginé que ese mundo, el que ella me ofreció, sería un infierno.

Nunca fue mi amiga, porque en una verdadera amistad hay amor y ella nunca me lo dio.

Pero la vida tiene que seguir y yo estoy decidida a olvidar y a conseguir mis metas. Continúo mis estudios académicos y estoy en el Conservatorio de Música estudiando la licenciatura en piano; quiero prepararme mejor para salir adelante. ¡Anhelo vivir tranquila!

Sé que aún no termina el proceso judicial y que me quedan muchas cosas por enfrentar, pero me siento lista para continuar hasta el final.

Yo le doy la honra y gracia a Dios Nuestro Señor —expone la madre de Karina— porque, de no haber sido por mi fe en Él, no sé si estaría viva para contar lo sucedido.

Porque todavía en las noches sufro pesadillas y despierto sobresaltada, pensando que mi hija todavía está con esas personas. Pero, luego de verla junto a mí, me tranquilizo y me pongo a orar para darle gracias por haberla rescatado.

Porque todavía me estremece y me horroriza pensar que Karina estuvo más de cinco años a merced de gente sin sentimientos y sin escrúpulos, que pudo haber perdido la vida por los trabajos forzados de sol a sol a los que la sometían, sin darle una gota de agua; por los golpes y castigos que recibía aparte de no comer bien o comer basura; por las vejaciones de que era objeto.

Necesitaremos mucho tiempo para que tanto mi hija como nosotros logremos recuperarnos porque han quedado secuelas muy dolorosas de tan amarga situación.

Le hicimos una evaluación médica a Karinita y presenta varios problemas por no comer lo que debía: una gran descalcificación, mal funcionamiento del intestino, moles-

El juez cuarto de lo Penal dictó auto de libertad absoluta a Katia de la Cuesta, debido al desvanecimiento de pruebas y a los resultados de los estudios psicológicos aportados por la defensa. Katia permaneció casi un año en prisión y no descarta entablar una demanda económica contra Sergio Andrade. 15 de diciembre de 2000 *El Norte*

tias en la columna vertebral por haber levantado cosas tan pesadas y muchas otras cosas, entre ellas, su estado psicológico.

Yo pensaba que no había gente mala en el mundo y que estos hechos tan aberrantes y horribles sólo ocurrían en las películas de terror o en las telenovelas. Desde luego, jamás imaginé que nos pasaría a nosotros.

Estar en la cárcel debe ser una pesadilla, para ellos y para cualquiera; pero no creo que supere lo que me hicieron vivir: destruyeron mi vida, pues me robaron mi infancia y mi adolescencia; también destruyeron la de mi familia y la de muchas otras jovencitas. No estoy dispuesta a dejar que sigan haciéndome daño.

3. Mis planes para el futuro

En la actualidad hay muchos medios interesados en tener mi testimonio; últimamente viajé a Miami para hacer un programa especial, y le concedí una larga entrevista a Televisa en la que se muestran lugares turísticos de Chihuahua. Me da mucho gusto porque así la gente puede enterarse de en qué punto se encuentra el proceso legal, qué fue lo que tuve que vivir al lado de esas personas y, sobre todo, quién dice la verdad. A mi bebé le atraen las cámaras y le gusta que le tomen fotografías, lo cual me tranquiliza, pues de lo contrario resentiría mucho el asedio de la prensa.

Hace poco me aplicaron un examen de piano ante el público y gracias a Dios pude dar ese paso sin entrar en crisis, como me sucedió en la primera entrevista con mi actual instructor. También pude ejecutar de memoria, sin ningún percance, salvo situaciones accidentales o de dinámica, la cual, por cierto, no realicé ya que eso es una comunión entre la partitura y la sensibilidad del ejecutante. Sin embargo, como esta última en mi caso ha sido muy lacerada no me es aún posible reestablecer dicho vínculo. Pero bueno, con Dios antes que nada, con el apoyo de mi psicóloga y el amor y la comprensión de quienes me rodean, podré recuperarme poco a poco. Además, llevo seis meses de una carrera de nueve años…

Aquí quiero compartir mis sueños para el futuro, el cual considero que se encuentra a la vuelta de la esquina. Todo lo que ahora sufro rendirá frutos, de eso estoy convencida.

En el futuro visualizo: alcanzar la estabilidad emocional; encontrar amigos y amigas sinceros que me permitan reconstruir la confianza en los demás seres humanos, esa confianza que perdí por todas mis experiencias; encontrar un hombre que me ame, con quien pueda rehacer mi vida, que sea un buen padre para Francisco Ariel y lo quiera como si fuera suyo.

Tengo la ilusión de casarme, de disfrutar una boda preciosa, de tener más hijos, de continuar y enriquecer mi comunión con Dios.

Espero poder hacer una carrera profesional en la música, como concertista de piano (o tal vez tocando varios instrumentos), o en el área del comercio internacional. (De hecho, un amigo de mi tío me ofreció tocar el piano en su restaurante, pero ahora no me siento capacitada para hacerlo. Las únicas canciones que tengo montadas son las de Gloria. Tendría que ponerme a estudiar un repertorio y a mi mamá no le convence la idea de que esté en un lugar público, ya que hemos recibido amenazas de muerte. Aún no estoy lista para enfrentarme al mundo, sigo sintiéndome muy lastimada. Confío en que con el tiempo y el apoyo de mis seres queridos lo lograré.)

Me gustaría en algún momento de mi vida conducir un programa de televisión, ya que siento que se me facilita establecer comunicación verbal con las personas y no me asustan las cámaras. Uno de mis grandes anhelos es recordar todo esto lo menos posible, claro, después de que acabe el proceso legal y se haya hecho justicia.

4. Mis temores y sospechas

La defensa de Gloria Trevi dice tener pruebas de que algunas de las supuestas víctimas del clan incurrieron en el chantaje. Las "víctimas" solicitaron veinte mil dólares y una casa a cambio de no declarar en contra de la cantante. 3 de enero de 2001 *El Norte*

Cinco años de control psicológico sobre mi persona no se borran de un plumazo. El temor continúa apareciendo, aunque ahora en forma más esporádica, y mis sospechas, bueno, ésas las he dejado para el final. Deseo compartir contigo, lectora, lector, algunas experiencias y pensamientos que hasta la fecha me provocan confusión, temor y sospecha de que tengan un trasfondo más oscuro.

Aun con Sergio en la cárcel, sigo temiendo que me haga algo. Por ejemplo, cuando Karla escapó él dijo, delante de sus hermanas: "Me dan ganas de agarrarla y tronarle el cuello. Al fin que la podemos tirar en un terreno o en el lago". Si fue capaz de decir algo así sólo porque había huido, no quiero imaginar lo que estará pensando de mí ahora que

216

se encuentra preso y, sobre todo, porque dije la verdad.

Otra razón por la que no puedo evitar seguir preocupada es que Gloria es vengativa. En una ocasión llegó a planear con Sergio la manera de darle un susto a Aline. Nunca imaginaron que serían descubiertos, mucho menos que se les apresaría. Creían que manipulando, obteniendo cartas para cubrirse y amenazando, todo seguiría igual, pero no, ahora vendrán aquí a enfrentar los cargos en su contra.

Algo que causaba gran inquietud en mí era despertar en muchas ocasiones para encontrar a Sergio de pie junto a mí, mirándome con fijeza. Era como si me ordenara mentalmente: "Despierta". ¿Podría ser que estuviera practicando algún tipo de control mental?

Otro comportamiento suyo que hasta la fecha me hace sentirme suspicaz y temerosa es que él acostumbraba pasar mucho tiempo encerrado en el baño, sin hacer ruido alguno, ni siquiera se escuchaba el agua al correr. Nunca supe qué hacía en esos momentos. La duda sigue embargándome, sobre todo ahora que tengo algunos datos acerca del satanismo, por ejemplo, que hay personas que viven bajo un mismo techo durante años, sin saber que el de al lado es satánico o practica algún rito de este tipo, ya que lo hacen en secreto.

Diversos medios difundieron que algunas grabaciones de Gloria tienen mensajes subliminales en voces que describieron como satánicas. Las emisoras tocaron al revés la canción "Ya no", escrita y grabada en 1991, donde se escuchan voces de hombre y de mujer con exclamaciones como "¡Castigado!", "¡Lo hiciste mal!" y "¡Por eso deben obedecer!"
22 de julio de 1999
La Jornada

El Supremo Tribunal de Brasil iniciará los trámites del traslado a México de Gloria Trevi, Sergio Andrade y "Mary Boquitas" hasta el 1º de febrero, debido a que este mes están de vacaciones. 3 de enero de 2001
El Norte

Otro detalle extraño es que en el satanismo, según la información que tengo, se consagra a las personas por medio de la cópula, algo a lo cual con certeza Sergio es afecto.

Cuando empecé a mirar en retrospectiva lo sucedido en los años que estuve con el grupo, me percaté de muchas cosas cuyo trasfondo había pasado inadvertido para mí. Por ejemplo, a los trece años era tan ingenua que nunca imaginé lo que significaba ser fotografiada de la manera en que Sergio lo hizo conmigo para el calendario *Las chicas de la prepa*; ni siquiera sabía qué iba a hacer con él. Claro que ni por eso ni por las actuaciones recibí salario alguno; pero sí me hizo firmar contratos donde supuestamente se establecía que me estaba pagando.

De igual manera, durante esa época escuché cómo Marlene, Guadalupe y Wendy grabaron sus mensajes para unas líneas telefónicas que Sergio había adquirido de una compañía que se llamaba Conam o algo así. Y es que en el calendario se incluyeron algunos teléfonos de las casas y la oficina de Sergio; cuando empezaron a llegar muchas llamadas, a él se le ocurrió poner una línea que le retribuyera económicamente.

Los mensajes que llegué a escuchar no tenían contenido sexual, eran más bien un tanto atrevidos. Yo nunca grabé ninguno de ellos, sólo su introducción musical.

Siento temor también cuando recuerdo que el día que Sergio supo que yo tendría un varón y no una niña, me dijo, entre otras cosas, que con anterioridad él había procreado un varón con una de las muchachas y que lo regaló a una persona cercana a él para que lo cuidara, pues nunca había permitido ni permitiría a ningún otro hombre dentro del grupo. Por tal razón, al nacer mi hijo, hablaría con esa persona para hacer lo mismo que con el anterior. Hasta el día de hoy, esta amenaza me aflige; gracias a Dios que ahora Francisco Ariel está conmigo y con mi familia y vive protegido y amado.

La duda principal que tengo grabada en el alma se relaciona con la hija de Sergio y Gloria. Después del nacimiento de la niña, Gloria habló con Sergio y le dijo que ella le había prometido a Dios que si algún día le daba un hijo, lo bautizaría antes del mes de vida y que Ana Dalay estaba próxima a cumplirlo, que si por favor podían hacerlo. Sergio reaccionó molesto y le contestó que si no se daba cuenta de la situación en la que estaban y que ese capricho podría costarles su libertad: para bautizarla tendrían que registrar a la niña, además de registrarse en la iglesia, lo cual sería una forma fácil de rastrearlos. Gloria insistió y después de varias ocasiones en que lo hablaron Sergio le dijo que al día siguiente lo verían. A mí me impresionó hasta dónde podía llegar el temor de él a ser encontrado y castigado por sus actos.

La defensa de Gloria asegura tener ciento cincuenta pruebas de que la cantante es inocente; además, pedirá la comparecencia de Pati Chapoy, precisó Salvador Ochoa, abogado de la artista.
3 de enero de 2001
Reforma

219

En entrevista desde la cárcel Gloria afirma que ninguna de las jóvenes fue golpeada o violada. Sostiene que la acusación es un ardid para quedarse con su dinero y propiedades; declara estar en quiebra y sin dinero para pagar a sus abogados. 5, 6 y 7 de enero de 2001 *ESTO*

Al otro día le informó a Gloria que bautizarían a la niña pero no en la iglesia, sino que se traería agua bendita y ahí mismo lo harían. Yo estaba lavando los trastes en la cocina y él me llamó a la sala, lo mismo que a Katia. Estando presentes Gloria, la bebé, Sergio, Mary, Katia y yo, él ordenó que se cerrara la puerta, tomó el agua bendita, la vertió sobre la frente de la niña y la declaró bautizada con el nombre de Ana Dalay.

Después de ese acto lo felicitamos, le dimos un beso a la bebé y cada quien regresó a sus actividades.

En ese entonces, y ahora mucho más, me pregunté atemorizada qué hacía a Sergio sentirse con autoridad para bautizar a una criatura y en nombre de quién o de qué lo hacía. Pero eso no fue lo más intrigante...

La noche siguiente, de manera sorpresiva, Sergio envió a Gloria a dormir con la niña, pues aparentemente habían tenido un problema respecto a ella. Sin embargo, aunque otras veces se habían presentado situaciones similares, ella nunca había dormido con su hija.

Por la mañana, Sergio me ordenó que fuera al cuarto donde estaba Gloria dándole de comer a la bebé para que mientras ésta lo hacía me aconsejara lo que declararía al llegar a México. Gloria acostó a la niña dormidita y ambas fuimos a ayudarle a Sergio a preparar el desayuno, aunque ya eran más de las doce. Al rato la bebé empezó a llorar y Sergio le dijo a Gloria que viera si lloraba porque estaba

220

mojada y que si no, le pusiera las cobijas encima (así acostumbraba callar a los niños pues no quería problemas con los departamentos vecinos).

Poco después de terminar de desayunar, mandó llamar a todas las muchachas y ordenó que nos sentáramos pues Karla había cometido un grave error y se le iba a juzgar por ello. Durante varias horas la interrogó e insultó porque, según él, no le decía la verdad. Fue hasta que Karla le dio por su lado y le dijo lo que él quería escuchar que pudo concluir aquel supuesto juicio.

Sergio había mandado traer pollo con farofa para su cena y le acercaron una mesita hasta el sillón donde estaba sentado, sobre la cual se lo sirvieron. Entonces miró a Gloria y le dijo que si ya le tocaba otra vez de comer a la niña. Ella respondió que en realidad hacía horas que le tocaba, pero que no se lo había dicho para no interrumpir el juicio. Él la mandó a darle de comer, pero Gloria contestó que prefería estar con él y que si le podía dar ahí mismo. Entonces él le dijo a Katia que fuera por la bebé y la trajera. Katia se demoró un poco.

Yo estaba sentada justo a un lado de Sergio, pero en el piso, y cuando Katia entró a la sala con la niña tapada, él exclamó: "¡Qué calladita! Destápala, ¿no estará muerta?", y se rió. Yo lo observaba cuando escuché un grito espantoso de Gloria, pues al destapar Katia a la bebé, ésta estaba totalmente morada y sin vida. Sergio corrió y se le echó encima a Gloria, abrazándola para que se calmara y no

Gloria declara: "Karina me llama en mayo, y reconoce que nunca fue violada, raptada, o corrompida". Muestra fotografías de Karina contenta, "lo que prueba que está mintiendo... la amenazan con quitarle al hijo y ella tiene que decidir entre la cárcel para sus papás por mentirosos, o dejarme a mí metida en la cárcel". 5, 6 y 7 de enero de 2001 *ESTO*

se acercara al cadáver. Ninguno de ellos le quitó las cobijas.

Mary corrió también, le arrebató la niña a Katia y la llevó al cuarto donde Liliana y ella comenzaron a tratar de revivirla, mientras yo, a falta de alcohol (que tal vez habría servido de algo), saqué la Coca-Cola *Light* de Sergio —para lo que sí había dinero— y empecé a echarla sobre su cuerpecito y su cabecita con el fin de que reaccionara. Liliana le daba respiración de boca a boca y yo intentaba extender sus deditos pero no lo logré pues ya estaban rígidos. Todo fue inútil.

Sergio mandó a varias de las muchachas a otro departamento, entre ellas recuerdo a Katia, a Wendy y a Sonia, con el resto de los niños, Antonia, Valentina y Milton. Luego nos envió a Mary y a mí al Pão de Açúcar a comprar unas velas. Tuvimos que comprarlas en otro súper pues aquél ya estaba cerrado. Era bastante noche y llovía en las calles de Copacabana.

Al regresar, Gloria estaba más tranquila y la niña se encontraba en su cuarto, sobre la cama gemela pegada a la ventana. Las cortinas estaban cerradas y la luz encendida. Sergio dio órdenes de cambiar a su hija a la otra cama pues al prender las velas su luz podría transparentarse por la ventana y despertar la curiosidad de los vecinos. Pusieron a la niña en la cama que tenía una sábana azul, colocándola en el centro de manera transversal, rodeada por tres velas de cada lado.

En ese momento Gloria gritó de nuevo y llorando le dijo a Mary: "¡Te lo dije, Mary, yo lo sabía, anoche lo soñé!; me vi en un puente desde el cual miraba el agua azul y una ballena blanca y pequeña se asomaba rodeada por el brillo del sol; era ella, era mi niña".

Sin querer, al recargarme en la pared, por lo impresionada y temerosa que estaba, apagué la luz; entonces Sergio, luego de encenderla de nuevo, me regañó porque podría verse el resplandor de las velas a través de la ventana. Rezamos varios rosarios y después salimos todos de la habitación, excepto Liliana y Mary, quienes supuestamente tratarían de reanimarla otra vez.

Transcurridos unos momentos, Sergio nos pidió que lo dejáramos solo con la niña y se encerró con ella. Sin embargo, fue muy extraño que se quedara ahí muchísimo tiempo sin que siquiera se escuchara algún lamento o llanto. Luego nos mandó a dormir a todas y sólo él y Gloria permanecieron despiertos.

Un día después, llevaron a la niña al cuarto de servicio, y no recuerdo si ese mismo día o al siguiente, Sergio se encerró en la sala bastante rato para hablar con Mary. Luego partió con Gloria. Acto seguido Mary entró a la cocina con una actitud extraña: seria, callada y pensativa y, contrario a lo acostumbrado, cerró la puerta y se quedó a solas en el interior.

Sergio, Gloria y María Raquenel arribarían a las celdas de la Penitenciaría Estatal de Chihuahua donde las condiciones son mejores que en Brasil. Allá hacen sus necesidades en un pozo que tienen en el piso. Las celdas de Chihuahua son más cómodas, amplias y con su taza de baño. 13 de enero de 2001 *El Norte*

Hasta esos momentos yo no alcanzaba a repo- nerme de la enorme impresión; tenía más miedo que nunca; pensaba que todo era una pesadilla, que no podía ser realidad algo tan aberrante. Recorda- ba cuando tenía siete años y descubrí a mi artista favorita, a la que nunca imaginé conocer tan a fon- do como lo había hecho, mucho menos en situa- ciones así de trágicas. Pensaba en que al trasladar- me a la Ciudad de México para estudiar con ellos nunca me pasó por la mente todo lo que viviría a partir de ese día. Recordaba a mi hijo con gran an- gustia pues llegué a dudar de las versiones que Sergio me daba respecto a su paradero, y de que siguiera con vida.

Me distrajo escuchar el ruido de la puerta que daba al patio y los pasos de Mary. Pensé que pre- pararía algo de comer para Sergio. Luego me des- concertó aun más oír fuertes golpes, como contra una tabla, porque ya sabíamos que no debíamos hacer ningún ruido.

Después de estar mucho tiempo en la cocina y poco antes de que Sergio y Gloria regresaran, Mary salió con una expresión dura y para mi sorpresa no había preparado nada de comer. Lo único que se apreciaba era el fregadero húmedo, como si recién lo hubieran limpiado, al igual que el piso.

Ahí no acabó mi desconcierto; por el contrario, aumentó cuando Sergio ordenó a Katia, Liliana y Sonia que se llevaran a la niña para deshacerse del cadáver en una maleta pequeñísima. ¿Qué hizo

Mary tanto tiempo en la cocina, si no preparó de comer? ¿Por qué limpió la cocina si estaba limpia cuando ella entró? ¿Qué significaban esos golpes que escuché? ¿Cómo se deshicieron del cadáver?

Todo era terriblemente extraño y confuso para mí...

Además, ahora me parece desconcertante que casi enseguida de que bautizó a su hija ésta muriera y que cuando Katia entró con ella en brazos, él exclamara que podría estar muerta.

En fin, espero que pronto pueda liberarme de estos angustiosos temores y sospechas y logre salir adelante sin tanta preocupación.

La Trevi declara a Adela Micha que ni Andrade ni nadie ha ejercido poder sobre ella ni sobre ninguna joven —Karina Yapor y las hermanas De la Cuesta—. "Tal vez estaban con nosotros porque estaban bien cogidas y alimentadas, nadie las obligó y ellas lo saben", expresó. No habló de su hija muerta, Ana, pues para ella es un tema sagrado.
18 de febrero de 2001
El Norte

Epílogo
Por qué escribí este libro

Después de haber sufrido las cosas más atroces e increíbles, empecé a ver de nuevo la luz en mi vida y a recuperar poco a poco las muchísimas cosas que me robaron.

A mi regreso tuve varias propuestas de diferentes empresas con proyectos como películas, series de televisión, discos y libros, cosas que sin duda alguna hubieran sido de gran ayuda económica para mí, sobre todo considerando mi precaria situación actual. Si en verdad mi motivación hubiera sido de tipo económico, no habría dudado en aceptar todos los contratos. Sin embargo, puedo decir orgullosa que no es así.

Dios tiene un propósito muy especial para mi vida y ésa es la razón fundamental por la que decidí, después de casi un año, escribir este libro y compartir mi vida abiertamente contigo, lectora, contigo, lector. Quiero testificar el poder de Jesucristo y darle toda la honra y gloria; deseo que la gente sepa que no importa la gravedad de los problemas que tengamos, porque si tenemos fe en Dios Él nos librará de todo mal. Debo decir que yo cometí un grave error por desobedecer Su palabra, ya que Él ordena no tener ídolos y eso exactamente era Gloria Trevi para mí.

He aprendido que el único que es siempre fiel es Nuestro Señor Jesús y sólo en Él debemos poner nuestros ojos y nuestro corazón. Quiero que este libro sea de gran bendición para muchos y que sirva para que otras niñas y sus familias no tropiecen con piedra. Y que todos los hacedores de maldad sepan que nada hay oculto para Dios y que Él habla por los que callan.

Porque la paga del pecado es muerte, mas la dádiva de Dios es vida eterna.

Con amor,
Karina Yapor

Gloria abandonó la Superintendencia de la Policía Federal Brasileña por un par de horas para ser atendida en un hospital público de Brasilia por sufrir una fuerte depresión, de la cual se recupera actualmente.
31 de enero de 2001
El Norte

Esta obra se terminó de imprimir
en marzo de 2001, en
Litográfica Ingramex, S.A. de C.V.
Centeno 162-1
Col. Granjas Esmeralda
México, D.F.